PROFIL CARRIÈRES

Collection Profil dirigée par Georges Décote
Série Carrières : examens et concours administratifs sous la direction de Jean-François Guédon

ANNALES DES GRANDS CONCOURS ET GRANDES ÉCOLES

Tome 4

BERNARD MAITRE
Chargé de T.D. au Centre d'éducation permanente de l'Université de Paris

PAUL EDILIO
Maître de Conférences à l'Institut d'études politiques de Paris

HATIER

Sommaire

CHAPITRES THÈMES DE RÉFLEXION

HATIER - PARIS 1980

ISBN 2-218-05049-8

ANNALES

Introduction

Présentation générale des grands concours et exercices méthodologiques pour les candidats

Nous avons regroupé en dix chapitres les grands concours administratifs.

Chaque chapitre comportera un *thème de réflexion,* des *annales et exercices méthodologiques.*

Notre choix des « grands concours »

Nous avons retenu deux critères pour constituer le présent recueil, en choisissant :

- les concours donnant accès à des fonctions de cadres administratifs supérieurs ;
- les concours donnant accès aux grandes écoles administratives.

● La notion de « cadre administratif supérieur » ne fait évidemment l'objet d'aucune définition réglementaire à portée absolue.

Disons simplement qu'il s'agit de fonctions supérieures à celles d'attaché ou inspecteur, cette supériorité se marquant dans les indices et la rémunération, d'une part, le niveau hiérarchique et la responsabilité exercée, de l'autre.

● Quant à la notion de « grande école », elle est elle-même susceptible d'appréciations variées. Toute école n'a-t-elle pas tendance à se dire « grande » par rapport à celles qu'elle juge inférieures ?

En l'espèce, notre choix a été simple : il a suffi de retenir les grandes écoles préparant directement aux fonctions administratives, c'est-à-dire l'École Nationale d'Administration (E.N.A.) et les autres établissements qui ont été créés sur son modèle, à savoir l'École Nationale de la Magistrature (E.N.M.) et l'École Nationale de la Santé Publique (E.N.S.P.).

Dans la « trilogie » - image assez généralement répandue dans le public - qui rassemble l'E.N.A., l'École Normale Supérieure et l'École Polytechnique, seule la première nous a paru intéressante pour cet ouvrage.

L'E.N.S. prépare à l'agrégation de lettres ou sciences, l'École Polytechnique doit être suivie d'une École d'application pour donner accès aux grands corps d'ingénieurs (Mines, Ponts et Chaussées, Télécommunications).

Les agrégés de lettres ou les polytechniciens qui entrent à l'E.N.A. avec l'espoir d'accéder aux plus hautes fonctions administratives sont d'ailleurs de plus en plus nombreux.

Notre pays se caractérise par une correspondance assez large entre « grande école » et « grand corps ».

C'est un phénomène que les sociologues ont beaucoup étudié, et qui provoque même fréquemment des débats politiques.

Sans nous engager plus avant dans son analyse ou ces controverses, nous le laissons à votre méditation, en vous signalant qu'il s'agit d'un thème important pour les épreuves de dissertation ou de conversation avec le jury.

Nos premiers chapitres : les Assemblées parlementaires, les Services du Premier Ministre et le Ministère des Affaires étrangères.

Il s'agit de concours où le nombre de places offertes est très réduit, mais qui jouissent d'un grand prestige. Ils ouvrent en effet des carrières intéressantes dans des organismes du plus haut niveau, qu'il s'agisse des Ambassades, des Services du Sénat ou de l'Assemblée Nationale, des

Services du Premier Ministre (Secrétariat général du Gouvernement).

Nous vous proposerons à cette occasion une *réflexion sur la France, ses institutions et son rôle dans le monde.*

Le Ministère de la Défense

Outre les carrières militaires[1], le Ministère de la Défense recrute des cadres administratifs à plusieurs niveaux :

- Attaché (voir notre *Guide pratique des carrières administratives* pour le concours d'Attaché d'Administration Centrale, et voir dans le volume III de la série *Culture Générale* les annales des épreuves de dissertation du concours d'A.A.C. et du concours d'Attaché de service administratif des Services extérieurs du Ministère de la Défense),
- Commissaire de l'Air et Commissaire de la Marine,
- Administrateur (à l'issue de l'E.N.A.).

Nous vous présenterons un thème de réflexion sur *la sécurité de la France* et sa *politique de défense,* puis les sujets des concours de Commissaire de l'Air et de la Marine.

Le Ministère de l'Intérieur

Ce département est chargé de deux missions essentielles : l'administration du territoire et la sécurité interne.

Il recrute à ces fins des administrateurs et membres du corps préfectoral (par la voie de l'E.N.A.), et des commissaires de police.

Nous vous présenterons successivement :

- un thème de réflexion correspondant à la première mission : *la décentralisation et le meilleur partage des responsabilités,*
- les annales du concours de Commissaire de police.

Nous avons traité le *thème de la sécurité* dans notre volume III (annales des concours d'attaché et inspecteur, pages 139 à 149).

1. Notre collection comportera un *Guide des carrières militaires* (à paraître).

Les administrations culturelles

Plusieurs départements peuvent être rangés sous ce titre : - Éducation et Universités - Culture et Communication - Jeunesse, Sports et Loisirs.

Nous avons traité dans le volume III les annales des concours d'Attaché d'administration universitaire et Inspecteur de la jeunesse et des sports.

Il existe d'autres concours de haut niveau pour des fonctions très spécifiques, qui ne peuvent être traités dans le cadre réduit de cet ouvrage.

Nous vous présenterons les annales du concours de Conseiller administratif des services universitaires (C.A.S.U.), et un thème de réflexion sur *la politique d'action culturelle.*

Les services économiques et financiers

La place des services économiques et financiers dans l'administration française ou dans le secteur public en général est évidemment très grande.

Les Ministères du Budget, de l'Économie, du Commerce extérieur et la Caisse des Dépôts et Consignations recrutent leurs administrateurs par la voie de l'E.N.A. (voir dernier chapitre), et leurs Attachés d'administration centrale par les concours d'A.A.C. et des I.R.A. (voir le volume précédent, qui contient aussi les annales des concours d'Inspecteur des douanes, des impôts et du trésor).

Nous avons retenu ici quelques concours particuliers :
- Administrateur de l'I.N.S.E.E.,
- Commissaire de la concurrence et de la consommation,
- Cadres supérieurs des grandes banques.

Après vous avoir donné quelques conseils pour étudier les questions économiques et financières dans l'optique des épreuves de culture générale, nous vous présenterons un grand thème de réflexion : l'économie française face au Marché Commun.

Les administrations sociales

Les structures gouvernementales ont comporté à certaines périodes un grand ministère ou Ministère d'État chargé des Affaires sociales.

- Il existe, à la date de rédaction de cet ouvrage, un Ministère de la Santé et de la Famille, dont les compétences s'étendent à la Sécurité sociale et un Ministère du Travail et de la Participation.

Ces ministères comportent des services communs, notamment l'Inspection générale des affaires sociales (I.G.A.S.) et la Direction de l'administration générale, du personnel et du budget.

L'I.G.A.S. et les administrateurs civils sont recrutés par la voie de l'E.N.A.

Chacun de ces deux ministères possède un corps d'inspecteurs dont nous vous avons présenté les annales dans le volume précédent :

- Inspecteur des affaires sociales,
- Inspecteur du travail.

Nous présenterons les annales de deux établissements :

- Le Centre national d'études supérieures de sécurité sociale (C.N.E.S.S.S.).
- L'École nationale de la santé publique (E.N.S.P.).

Et nous vous proposerons deux thèmes de réflexion :

- l'aspiration à la sécurité,
- la santé.

L'École nationale de la magistrature

Nous vous présenterons un thème de réflexion sur la justice, l'évolution des institutions judiciaires et le rôle du juge dans la France contemporaine, puis des annales complètes de l'E.N.M.

L'École nationale d'Administration

Nous vous présenterons un thème de réflexion sur les hauts fonctionnaires, puis des annales complètes de l'E.N.A.

ANDRÉ BARILARI

1. Les assemblées parlementaires et les services du Premier Ministre

Thème de réflexion : La démocratie et le fonctionnement des institutions

Nous vous invitons à réviser, dans notre série *Institutions,* l'ouvrage consacré aux Institutions politiques, par Paul Édilio, Maître de Conférences à l'Institut d'études politiques de Paris.

Tout en répondant au programme de droit public des concours, il contient évidemment l'ensemble des notions de base indispensables pour la culture générale en ce domaine dans les concours de haut niveau.

Vous trouverez de nombreux exemples de sujets généraux dans le précédent recueil d'Annales des Concours de Catégorie A (notamment 1re partie, sujets à dominante historique : chapitre 3, *la France et son histoire,* et chapitre 4, *nos institutions et leur histoire;* et neuvième partie, *questions politiques :* chapitre 26, *les grands principes de la démocratie,* chapitre 27, *la vie politique,* et chapitre 28, *l'opinion publique, la presse et l'information).*

Nous vous recommandons de relever les mots clés dans chacun de ces deux ouvrages et de vous constituer un **lexique personnel.**

Vous veillerez à donner à chaque grande notion (la démocratie, l'État, le pouvoir...) à la fois :

- sa *définition juridique précise,*
- son *éclairage général,* compte tenu des problèmes qui se posent dans le monde moderne.

Ce travail vous sera utile pour deux catégories d'épreuves des concours :
- les épreuves de culture générale,
- les épreuves de droit public.

Voilà donc un exemple de travail stratégiquement important et doublement **payant** lors des concours. C'est pourquoi nous vous l'avons indiqué en priorité.

Le rôle du peuple et le rôle de ses représentants

C'est évidemment un thème de réflexion fondamental pour tout citoyen. Il vous revient d'abord de l'approfondir à titre personnel.

A titre exceptionnel au début de cet ouvrage, nous vous présenterons plusieurs exemples de plans détaillés. Cela vous montrera que vous avez une assez grande liberté pour définir les sujets et construire vos dissertations. Vous noterez cependant que, dans chaque exemple, les mêmes thèmes fondamentaux se retrouvent. Les pages qui suivent ont été préparées d'après de bonnes copies du concours d'entrée à l'École nationale d'Administration.

PREMIER EXEMPLE

Éléments d'introduction

Avec un tel sujet, on peut, pour présenter une introduction substantielle, rappeler la doctrine. En l'espèce, il convient de citer notamment Rousseau et Montesquieu. Il faut toutefois veiller à se limiter aux principes essentiels, et à ne point empiéter sur les développements.

Comme l'affirmait Montesquieu, et contrairement à ce qu'espérait Rousseau, le peuple n'est pas apte à discuter des affaires, si bien qu'il doit sans cesse avoir recours à des représentants, élus ou « naturels », pour se faire entendre, et que la démocratie ne peut exister que médiatisée.

Annonce du plan

Il apparaît en effet que :

- Le peuple doit être informé, représenté et écouté, mais il ne peut gouverner directement (première partie);
- Les représentants ont un rôle important à jouer, non seulement dans la vie politique, mais encore dans la vie économique et sociale (deuxième partie).

1. Le peuple doit être informé, représenté et écouté, mais il ne peut gouverner directement

1.1. *Ce que le peuple est en droit d'exiger dans une démocratie moderne :*

1.1.1. Une information adéquate,
1.1.2. Une représentation loyale,
1.1.3. La sensibilité des gouvernants à ses aspirations profondes.

1.2. *Ce que le peuple ne peut exiger sans tomber dans l'utopie : l'impossible démocratie directe :*

1.2.1. Le peuple ne peut tout faire,
1.2.2. Le peuple est trop divisé,
1.2.3. Le peuple a besoin d'autorités responsables et de corps intermédiaires.

Transition : il lui faut donc de bons représentants.

2. Les représentants ont un rôle important à jouer non seulement dans la vie politique, mais encore dans la vie économique et sociale

2.1. *Propositions à examiner en vue d'une meilleure animation de la vie politique :*

2.1.1. Au niveau local,
2.1.2. Au niveau régional,
2.1.3. Au niveau national.

2.2. *Propositions tendant à l'extension des procédures démocratiques dans la vie économique et sociale :*

2.2.1. Dans l'entreprise,
2.2.2. Dans la vie économique nationale,
2.2.3. Dans la vie sociale.

Éléments de conclusion

La démocratie et le rôle des élites.
Le rôle de l'éducation : instruction civique et promotion des citoyens.

DEUXIÈME EXEMPLE

Introduction

La société française actuelle est une société élective et représentative. Le peuple est certes invoqué toujours et partout, mais il n'est jamais présent en tant que tel. Comme citoyen, comme employé dans une entreprise, comme élève dans un lycée..., il est toujours représenté ; mais sa voix ne se fait entendre directement que de façon sporadique, lors des grands événements politiques ou en période de bouleversement économique et social. Notre société s'inspire de Montesquieu beaucoup plus que de Jean-Jacques Rousseau. Malgré les progrès de la démocratie et le développement des moyens de communication de masse, l'exercice direct de la démocratie n'a pas du tout atteint le stade qu'eût souhaité Rousseau, et semble même bien illusoire.

C'est sans doute parce que, comme l'afffirmait Montesquieu, « Le grand avantage des représentants, c'est qu'ils sont capables de discuter les affaires. Le peuple n'y est point du tout propre, ce qui forme un des grands inconvénients de la démocratie ».

Cette conception, qui estime les représentants plus capables que le peuple de discuter des affaires, paraît bien triompher dans une société où les organes de médiation sont multipliés et où des pouvoirs de plus en plus étendus se concentrent au bénéfice des responsables qualifiés émanant des divers groupes sociaux.

Pourtant, il ne paraît pas évident que le mécanisme de la représentation soit issu d'une quelconque incapacité pour le peuple de discuter les affaires : soit qu'il prenne en main directement ses propres intérêts, soit qu'il utilise les représentants comme simples exécutants des décisions issues de la discussion populaire, il paraît bien que le peuple, en tout état de cause, conserve un rôle et un pouvoir essentiels qui limitent et mettent en question l'affirmation partisane de Montesquieu.

Annonce du plan

Il importe maintenant d'éclairer ces deux aspects contradictoires de la question posée ; si le peuple ne semble point capable de gérer directement ses propres affaires et les confie à des représentants, il n'en reste pas moins souverain et peut toujours s'exprimer.

1. Incapable de gérer directement ses propres affaires, le peuple doit les confier à des représentants

La conception de Montesquieu, fondée sur des thèmes traditionnels et parfois dénoncés comme conservateurs, tend à se confirmer à l'heure actuelle.

1.1. Le peuple, aujourd'hui comme hier, n'apparaît pas en mesure de discuter des affaires publiques.

1.2. Dès lors, il délègue son droit de discussion à des représentants qu'il estime mieux placés que lui.

1.3. Les organes de médiation et de représentation se sont multipliés au sein de la société française.

Conclusion 1 et transition

L'exercice de la démocratie passe aujourd'hui par de multiples organes représentatifs, dans le domaine économique et social comme dans le domaine politique.

Toutes ces médiations présentent une ambiguïté fondamentale : si elles permettent au peuple de s'exprimer et d'agir, ce n'est que de façon indirecte, et même en l'écartant. N'est-ce pas contraire à l'essence même de la démocratie ?

2. Le peuple n'en reste pas moins souverain, et peut toujours s'exprimer

La concentration, entre les mains d'un petit nombre, de la fonction de représentation n'apparaît pas aussi contradictoire avec la démocratie que le pense Montesquieu. Les constatations précédentes n'enlèvent pas au peuple sa qualité de souverain, ni son aptitude à participer à la discussion des affaires publiques.

2.1. Analyse des principes constitutionnels et des principaux mécanismes politiques (rôle des élections, moyens de contrôle du peuple sur ses représentants).

2.2. Exposé des nouvelles modalités d'exercice de la démocratie, notamment dans le domaine économique et social (les thèmes et les expériences de participation, cogestion, autogestion).

2.3. Les conditions d'un meilleur exercice de la démocratie : instruction civique, maintien de la liberté d'expression politique, développement de l'information économique et sociale.

Éléments de conclusion

- Démocratie et élitisme,
- Démocratisation et technocratie,
- L'éducation permanente, facteur de la démocratie.

Réflexion sur la démocratie, les élites et l'égalité des chances

EXEMPLE DE SUJET

Le développement des sociétés démocratiques exige-t-il la mise en œuvre de politiques tendant à lutter contre les phénomènes élitistes ?

Éléments d'introduction

a. *La conception du sujet*

- Définition des termes du sujet
  La notion de démocratie,
  Les phénomènes élitistes.
- L'antinomie entre les deux notions.

b. *Les deux questions essentielles*

- Faut-il y remédier ? (problème moral et choix politique).
- Comment y remédier ? (choix des diverses politiques possibles).

c. *Structure du devoir et annonce du plan*

Vous pouvez effectuer un constat et présenter des propositions.

Le constat : Le développement des phénomènes élitistes paraît inévitable dans les sociétés modernes.

Des propositions : Le développement de la démocratie, plutôt qu'une lutte purement négative contre les élites, nécessite une véritable politique de progrès social.

1. Le développement des phénomènes élitistes paraît inévitable dans les sociétés modernes

Il s'agit en effet de phénomènes anciens, mais qui revêtent des aspects nouveaux dans le monde moderne.

Ils apparaissent désormais inévitables sur le plan individuel comme sur le plan social.

1.1. *Les phénomènes anciens et leurs aspects nouveaux.*

1.1.1. Les anciennes élites, fondées sur la force, la naissance ou l'argent.

1.1.2. Les nouvelles élites, fondées sur le savoir ou la puissance politique.

N.B. Il est à noter que, au plus haut niveau, les élites traditionnelles ont pu subsister notamment en cherchant à assimiler (voire « acheter »...) les élites nouvelles.

1.2. *Des phénomènes inévitables sur le plan individuel comme sur le plan social.*

1.2.1. Les individus les plus doués poursuivront toujours leur ascension.

1.2.2. La société elle-même a besoin d'élites.

N.B. Vous pouvez citer le texte de la Déclaration des Droits de l'Homme et du Citoyen du 26 août 1789 qui dispose dans son Article 1er : « Les hommes naissent et demeurent libres et égaux en droit. Les distinctions sociales ne peuvent être fondées que sur l'utilité commune. »

2. Le développement de la démocratie plutôt qu'une lutte négative contre les élites exige une politique de progrès social

2.1. *Les réactions négatives*

2.1.1. Certains régimes ont cherché volontairement à détruire les élites anciennes, soit par *liquidation* physique, soit par asservissement ou *rééducation.* Mais une telle politique est condamnable sur le plan moral, et discutable sur le plan de l'efficacité. En tout état de cause, on ne peut que constater la reconstitution d'une classe politique dominante.

2.1.2. Le nivellement par le bas ne peut qu'être néfaste à tout pays comme à l'humanité entière. Toutefois, une politique particulière se justifie sur le plan économique et social comme sur le plan des principes : c'est la politique des revenus, qui doit tendre à assurer à la fois la justice et le progrès.

2.2. *Les politiques de progrès social*

Ces politiques ne tendent pas à supprimer les élites, mais au contraire, à favoriser leur éclosion au bénéfice de la société.

2.2.1. Les réformes de structures

Exemples :

- Sur le plan politique, la réforme régionale (promotion des élites régionales en complément aux *élites nationales* ou *parisiennes*).
- Sur le plan économique, la réforme de l'entreprise.

2.2.2. La politique de promotion sociale

Deux moyens essentiels et complémentaires :

- La démocratisation de l'enseignement,
- Le développement de la formation continue.

N.B. Il faut examiner de façon approfondie la place des élites dans la société. Si vous ne l'avez pas fait suffisamment dans l'introduction, vous pouvez structurer comme suit la seconde sous-partie consacrée aux actions positives nécessaires : il faut d'une part favoriser l'éclosion des élites, et d'autre part mieux déterminer leur place dans la société.

2.3. *Les actions positives*

2.3.1. Favoriser l'éclosion des élites.
- Les réformes de structures,
- La promotion sociale.

2.3.2. Déterminer la place des élites dans la société.
- Éviter la « méritocratie », la technocratie, les coteries.
- Les élites doivent être intégrées dans les institutions démocratiques, et savoir rester à l'écoute du peuple.

Éléments de conclusion

1. *Sur le plan général*

Le problème n'est pas tant de lutter contre les élites que de faciliter l'accès de tous aux diverses catégories d'élites intellectuelles et sociales, en donnant à chacun des chances égales compte tenu de ses mérites propres.

2. *Les efforts prioritaires nécessaires dans notre pays*

Il faut combattre de nombreuses injustices et réduire de nombreux facteurs de sclérose.

Exposez quelles sont, à votre avis, les actions prioritaires dans les domaines de la démocratisation de l'enseignement, de la promotion et de la participation.

Vous pouvez aussi élaborer une conclusion sur le thème : « Quelles élites ? Pour quelle société ? »

L'alternance au pouvoir dans les démocraties occidentales

Éléments d'introduction

- Définition des termes essentiels du sujet :
- Le pouvoir,
- L'alternance au pouvoir,
- La démocratie,
- Les démocraties occidentales.
- Les problèmes essentiels qui se posent.

Annonce du plan

L'alternance au pouvoir est reconnue comme une condition nécessaire au bon fonctionnement de la démocratie dans les pays occidentaux, mais il apparaît que, dans la pratique, son exercice reste relatif et limité.

1. L'alternance au pouvoir, condition nécessaire au bon fonctionnement de la démocratie

Il s'agit, dans cette première partie, de montrer pourquoi l'alternance au pouvoir est généralement considérée dans les pays occidentaux comme une condition nécessaire au bon fonctionnement de la démocratie. A cet égard, deux séries d'éléments doivent être analysés : d'abord, les possibilités de choix entre les tendances politiques ; ensuite, les règles relatives à l'accès au pouvoir.

1.1. L'alternance au pouvoir suppose et permet la possibilité de choisir entre les opinions et les tendances politiques. Cet accent mis sur le principe d'un choix offert au citoyen, à tous les citoyens, a impliqué dans les pays occidentaux le développement de trois éléments :

1.1.1. Les élections, qui sont le moyen privilégié de l'alternance,

1.1.2. Les partis politiques multiples, permettant à la fois la représentation des principaux courants des opinions et leur alternance au pouvoir en fonction des majorités qui se dégagent,

1.1.3. Les libertés publiques, notamment la liberté d'expression et d'information.

1.2. L'alternance implique la définition de règles précises et respectées quant à l'accès au pouvoir.

A cet égard, vous pouvez rappeler les principes fondamentaux des trois grands types de régimes en vigueur :

1.2.1. Le régime parlementaire,

1.2.2. Le régime présidentiel,

1.2.3. Les régimes mixtes, et notamment le cas de la France depuis la Constitution de 1958.

N.B. Il faudra veiller, dans vos développements, à bien mettre en évidence les mécanismes de l'alternance, et les conditions politiques générales nécessaires à son exercice.
Une vue synthétique de ce dernier point pourra vous servir de transition vers la deuxième partie, car vous constaterez que la notion est relative et limitée de diverses façons dans les pays occidentaux.

2. L'alternance au pouvoir, phénomène relatif et limité

Après avoir apprécié la portée de l'alternance, il convient d'en examiner les limites.

2.1. Pour apprécier la portée de l'alternance au pouvoir, il faut mesurer le phénomène à la fois dans le temps et en étendue.

2.1.1. *L'alternance dans le temps*

- Une observation : la durée des cycles d'alternance est très variable.

- Exemples pouvant être cités :

La Grande-Bretagne (alternance relativement régulière des conservateurs et des travaillistes, en raison du système bipartisan).

La France (domination des partis du centre et du centre-droit, avec apparitions au pouvoir plus brèves des partis de gauche).

La Suède (très longue domination du parti socialiste).
- Une conclusion : la démocratie est caractérisée non pas tant par la fréquence même de l'alternance, mais par la certitude d'une possibilité d'alternance.

2.1.2. *L'étendue de l'alternance*

Deux systèmes principaux peuvent être observés :
- alternance limitée au sommet (cas de la France),
- alternance étendue au niveau du pouvoir administratif (États-Unis).

2.2. L'alternance au pouvoir peut se trouver limitée, soit par des mécanismes institutionnels, soit pour des motifs circonstanciels.

2.2.1. Deux types principaux de mécanismes peuvent limiter la portée de l'alternance :
- les systèmes électoraux qui favorisent les «partis charnières» (et donc le «centre», au détriment de la droite et de la gauche; exemple de la France sous les IIIe et IVe Républiques);
- la séparation des pouvoirs (un renversement de majorité peut provoquer le changement de l'un des pouvoirs, mais l'autre se maintient; exemple des États-Unis, où se pratique fréquemment un jeu subtil de compensations entre le Président et le Congrès, du fait de l'absence de superposition obligatoire des mêmes tendances politiques).

2.2.2. Des limitations circonstancielles à l'alternance :
- diverses causes : guerre, situation politique, crise économique et sociale;
- la solution politique : les gouvernements d'union nationale.
(Bien noter qu'il ne s'agit que d'une exception provisoire et volontaire au principe de l'alternance.)

Éléments de conclusion

- Appréciation du phénomène du point de vue de l'intérêt national. (Montrer en quoi il facilite la solution des grands problèmes du pays ; exposer quels peuvent être ses inconvénients en cas d'excès.)

- Malgré son caractère limité ou relatif, l'alternance au pouvoir est considérée comme une marque de liberté fondamentale dans les pays occidentaux. C'est pourquoi les débats sur ce sujet sont si nombreux et si pleins de controverses.

- Si le terme lui-même ne figure pas expressément dans les Constitutions et les lois organiques, le principe de l'alternance au pouvoir inspire de nombreuses règles constitutionnelles et d'importants mécanismes politiques.

- La diversité de sa portée et de la pratique selon les pays ne doit pas masquer son caractère fondamental : qu'il s'agisse d'une réalité fréquente ou d'une simple potentialité, le principe de l'alternance au pouvoir est partout conçu comme un synonyme de la démocratie et le contraire de la dictature.

Vous trouverez de nombreux sujets sur *l'État et le pouvoir* commentés dans deux autres ouvrages de notre collection :
- *Méthode pratique de dissertation,* par André Barilari,
- *Les Institutions politiques,* par Paul Édilio.

Concours d'administrateur des services de l'Assemblée Nationale

Épreuve N° 1 : composition portant sur les problèmes du monde actuel.

« Évolution et permanence de la notion de notable. »

Plan détaillé

Le plan le plus simple consiste à suivre le libellé du sujet : après avoir examiné l'évolution de la notion de notable, il conviendra d'en exposer les éléments de permanence dans la société moderne.

1. La notion de « notable » et son évolution

1.1. *Il faut définir la notion de* **notable**, *et situer son apparition dans l'histoire*

Vous prendrez soin de la différencier des notions voisines ou antagonistes, soit dans une introduction substantielle, soit au cours de vos développements.
Exemples de *notions voisines* : l'élite, ou « les élites ».
Exemples de *notions antagonistes* : « les masses », ou la « majorité silencieuse ».
Exemples de *notions connexes :* majorité et minorité - ou les « minorités[1] ».

1.2. *Il faut analyser les facteurs de l'évolution :*

- Dans le domaine économique.
- Dans le domaine social.
- Dans le domaine politique.

(Le domaine culturel peut soit être rattaché au domaine social, soit faire l'objet d'une rubrique particulière.)

1. C'était le sujet du concours d'attaché d'administration centrale en 1977.

Seront les bienvenues :
- Quelques références littéraires (Balzac, puis Zola, puis la « République des notables »).
- Quelques références doctrinales (cf. vos cours et manuels d'histoire des idées politiques).
- Quelques comparaisons internationales (citer notamment la Grande-Bretagne, les États-Unis, la Russie et divers pays du Tiers Monde).

2. Les éléments de permanence

Vous pouvez partir de la constatation que, sous des formes diverses, la notion de « notable » est universelle. Même si les pouvoirs publics ont pour objectif la réduction des inégalités, voire la constitution d'une « société sans classes », il se reconstitue toujours des castes de notables.

2.1. *Un phénomène universel*

- Dans les sociétés occidentales.
- Dans les pays socialistes.
- Dans le Tiers Monde.

2.2. *L'émergence de nouveaux notables*

- Sur le plan individuel, et dans tous les domaines ou toutes les activités humaines, les éléments les meilleurs ou simplement les plus forts se distinguent toujours.
- La société elle-même a besoin d'élites.

Éléments de conclusion

Il vous revient de porter une appréciation morale et politique sur le rôle des notables.

En quoi le phénomène est-il justifié, favorable, ou au contraire, néfaste au point de vue démocratique ? Quelles propositions personnelles pourriez-vous formuler pour un « meilleur usage » des « notables » dans une société démocratique et progressiste ?

Orientations générales

C'est à la fois un sujet d'histoire et un sujet de science politique. Il nécessite donc à la fois une culture historique approfondie et une bonne connaissance de l'actualité politique, nationale et internationale.

Après avoir effectué un bilan ou un constat des expériences passées, vous examinerez notamment si une tendance à la recherche du précédent subsiste chez les révolutionnaires d'aujourd'hui.

Le goût du précédent historique est particulièrement marqué chez les Français. Ce point mérite d'être développé abondamment. Mais il ne faudra pas négliger les principaux exemples étrangers : les expériences révolutionnaires chez nos voisins européens, la révolution russe, la révolution chinoise, les révolutions dans les pays du Tiers Monde.

Exercices personnels

- Quelles réflexions vous inspirent les personnages de Marianne et de Gavroche ?
- L'idéal révolutionnaire de « liberté, égalité, fraternité » vous paraît-il toujours actuel ?
- Dans un domaine tout autre, mais il est fondamental pour vous, il conviendra de réfléchir sur « le rôle du précédent dans la vie administrative ».

Un sujet aussi difficile ne peut être donné que dans un concours de très haut niveau. En tout état de cause, il est intéressant d'en définir les termes essentiels.

- ÉLÉMENTS D'INTRODUCTION

1. Définition des termes essentiels

- « L'État providence » (par opposition à « l'État gendarme »).
- « La démocratie directe » (par opposition au régime représentatif).

2. Problématique

L'évolution semble contradictoire : au fur et à mesure que s'affirme l'État providence, la démocratie directe semble de moins en moins possible dans le monde d'aujourd'hui.

Vous pourrez toutefois vous demander s'il n'existe pas aussi des éléments de complémentarité.

- PLAN SCHÉMATIQUE

1. Une contradiction apparente

1.1. *Des motifs de fait*

Il semble extrêmement difficile, pour ne pas dire impossible, d'assurer, sur le simple plan matériel, les conditions de la démocratie directe.

1.2. *Des motifs théoriques*

Vous pouvez évoquer les thèses élitistes ou « technocratiques » :

- Le peuple n'est point apte à prendre des décisions.
- Il faut assurer la suprématie de l'intérêt général face aux revendications particulières.

2. Des éléments de complémentarité

2.1. *L'État providence répond à l'idéal démocratique*

2.2. *Le peuple doit pouvoir se prononcer sur les grandes orientations de l'action des pouvoirs publics*

Il vous revient de présenter, dans cette seconde partie, des réflexions et propositions personnelles :
- Pour une meilleure définition des fonctions de l'État et de ses objectifs dans une société moderne,
- Pour un meilleur exercice de la démocratie.

Vous noterez en particulier que le progrès technique, qui permet l'accomplissement des missions de l'État providence, peut aussi fournir les moyens d'un exercice plus approfondi et plus fréquent des procédures démocratiques (meilleure information des citoyens, procédures de vote électronique...).

Thèmes voisins pouvant fournir des idées de conclusion
- Progrès technique et démocratie.
- Le droit au bonheur (sujet E.N.M. 1976).
- Une politique du bonheur est-elle possible dans le monde d'aujourd'hui ?

« Sur l'économique retarde le social, sur le social retarde le mental. » Cette opinion d'un historien contemporain s'applique-t-elle au monde actuel ?

● Il est intéressant de bien réfléchir sur un tel sujet. Cet exercice vous permettra en effet de recenser des idées importantes pour éclairer bien des problèmes du monde actuel.

Orientations générales

Il semble que vous soyez obligé d'adopter pratiquement l'opinion de cet historien. Mais vous pouvez, bien entendu, apporter toutes les nuances souhaitables. Vous pouvez aussi, dans une dernière partie ou dans une conclusion substantielle, présenter des propositions personnelles pour remédier à cet état de fait.

Sujets et thèmes de réflexion connexes

- Performances et défaillances de la civilisation contemporaine.
- Progrès économique, progrès social et progrès moral.
- « Une société démocratique moderne doit reposer sur un haut degré de performance économique, d'unification sociale et de développement culturel. » Que pensez-vous de cette définition d'un moraliste contemporain ?

• Nous vous invitons maintenant à :
- préparer des plans détaillés sur ces divers sujets,
- remplir, sur une feuille de grand format, le tableau ci-dessous.

L'ÉVOLUTION DU MONDE ACTUEL

Domaines	Facteurs	Aspects	Réflexions personnelles
Économique			
Social			
Mental			

Première épreuve : Composition portant sur les problèmes politiques, internationaux, économiques et sociaux du monde actuel (Durée : 5 heures - coefficient 4).

Le monde est-il en danger de progrès ? (1973-1974)

• **Introduction :** Qu'est-ce que le progrès ? En quoi constitue-t-il un danger pour le monde actuel ?

Voilà les deux questions auxquelles il vous faut répondre dans une introduction substantielle. Nous vous recommandons ensuite les développements suivants :

1. Les dangers que le progrès technique fait courir au monde actuel

1.1. *Sur le plan matériel*
1.1.1. La pollution
1.1.2. Le risque nucléaire.

1.2. *Sur le plan moral*
1.2.1. L'abrutissement
1.2.2. L'asservissement.

2. Pour un meilleur usage du progrès

2.1. *La lutte nécessaire contre les excès et les dangers.*
2.1.1. La protection de la nature
2.1.2. La sécurité des travailleurs et de la population.

2.2. *Une meilleure répartition des fruits du progrès*
2.2.1. Sur le plan interne, assurer la justice sociale
2.2.2. Sur le plan international, aider les pays en voie de développement.

• **Conclusion :** Le progrès technique reste le grand espoir de la fin du XXe siècle.

Commentez cette remarque de Denis de Rougemont : « La décadence commence quand les hommes ne disent plus : « qu'allons-nous faire ? », mais « qu'est-ce qui va nous arriver ? ». (1975-1976)

• **Éléments d'introduction**

- La notion de décadence : à définir par rapport à des notions voisines, telles que le déclin ou la ruine.
- La décadence d'une nation, d'une société, d'une civilisation : quelques références à la philosophie de l'histoire.

• Il vous faut ensuite construire vos développements en opposant deux attitudes, et même deux morales :
- La passivité, le doute, le fatalisme, la crainte, le pessimisme,
- La morale de l'action.

Comment peut-on concilier les besoins des sociétés contemporaines et les offres de talent ? (1977-1978)

• Il vous faudra analyser *deux catégories de besoins :*
- ceux qui s'expriment sur le marché de l'emploi,
- ceux qui correspondent, dans l'idéal, au meilleur développement de notre société.

• Vous retrouverez ensuite essentiellement le problème de *l'adéquation des formations à l'emploi.* Celui-ci est étudié en permanence dans les travaux du Plan. Vous trouverez également des éléments de réflexion intéressants dans les exposés des motifs de la *loi d'orientation de l'enseignement supérieur* et de la *loi relative à l'éducation.*

Concours de documentaliste au Secrétariat général du Gouvernement

Composition française sur un sujet de caractère général :

1 La population actuelle de la France comporte une proportion anormalement élevée de personnes âgées.
Quelles sont les conséquences sur le plan économique et social de cette situation et quelles mesures doivent prendre, d'après vous, les pouvoirs publics pour y faire face ?

2 Pour quels motifs la situation de l'agriculture en France est-elle devenue depuis quelques années une des principales préoccupations des pouvoirs publics ?
Exposez les problèmes que doit résoudre en ce domaine le Gouvernement et les solutions qui peuvent être envisagées.

3 Aristote déclarait ironiquement : « Quand les navettes marcheront toutes seules, nous n'aurons plus besoin d'esclaves. »
Le machinisme a-t-il réalisé cette prophétie involontaire ? A-t-il réellement libéré les hommes ?

4 Commenter et discuter ces mots de Talleyrand : « Le mensonge est une trop bonne chose pour qu'il soit permis d'en abuser. »

5 Gaston Berger a écrit que ce qui caractérise notre civilisation est la rapidité de ses changements et que l'enseignement moderne devrait avoir pour premier objectif de former des hommes aptes au changement.
Comment comprenez-vous cette affirmation ? Et qu'en pensez-vous ?

6 L'écrivain et économiste américain Galbraith écrit dans son dernier livre (*The New Industrial State,* 1967) :
« Ce qui doit compter désormais pour un pays civilisé, c'est moins la quantité de biens produits que la qualité de la vie. »
Commentez cette opinion.

7 Diderot écrivait au XVIIIe siècle :
« Le travail, entre autres avantages, abrège les heures et étend la vie. »
Au XIXe siècle et au XXe siècle, divers écrivains et philosophes ont, en sens inverse, dénoncé l'esclavage du travail et insisté sur la nécessité d'en libérer l'homme.
Expliquer et commenter la pensée de Diderot.
Exposer votre point de vue sur ce problème.

8 L'entreprise de publicité est aujourd'hui l'auxiliaire indispensable du développement industriel et commercial.
Quelles sont les circonstances qui ont amené la publicité à jouer un rôle déterminant dans l'économie ? A quels techniques et procédés a-t-elle recours pour toucher le public, collectivement et individuellement ?
Quels sont les problèmes psychologiques, économiques, sociaux, politiques que le développement de la publicité pose dans le monde moderne ?

9 On a dit récemment que l'homme était « dramatiquement menacé dans son intégrité biologique, physique, psychologique et mentale ».
Vous étudierez les causes de cette menace et les moyens qui devraient permettre de sauvegarder et d'améliorer ce qu'il est maintenant courant d'appeler « la qualité de l'environnement ».

10 « Seuls les romantiques égarés revendiquent le retour à l'état de nature. Tourner le dos à la technologie serait non seulement stupide mais immoral, étant donné que la majorité de la population mondiale subit encore la vie que l'on menait au XIIe siècle. »
Que pensez-vous de ce texte ?

Concours d'accès à l'emploi de chargé d'études au Secrétariat général du Gouvernement

Direction de la Documentation

Composition sur un sujet se rapportant à l'évolution générale des idées ou des faits politiques, économiques ou sociaux depuis le début du XXe siècle (Durée : 4 heures).

1 Le principe des nationalités a été l'un des grands thèmes de la pensée politique et l'un des moteurs de l'évolution politique du XIXe siècle. Que représente-t-il pour vous *personnellement?*
Quelle place lui attribuez-vous dans le monde contemporain et dans l'avenir prévisible ?

2 Il est de plus en plus question de *participation* en matière politique, économique, sociale, universitaire, culturelle, etc...
Que représente pour vous le concept de la *participation* ? Estimez-vous que notre société va - ou qu'elle doit aller - vers un plus haut degré de *participation* et pour quelles raisons ?
Que peut être, à votre avis, une politique de *participation,* quelles en sont éventuellement les limites et sous quelles formes concevez-vous la mise en œuvre de la *participation* dans les différents domaines ?
Peut-on imaginer une éducation qui prépare à la *participation* et comment l'imagineriez-vous ?

Indications complémentaires données par le jury :

N.B. 1. Les questions mentionnées ci-dessus le sont à titre indicatif. Elles ne constituent pas un ordre rigide et ne sont pas non plus limitatives.
2. Il est rappelé aux candidats qu'il s'agit ici d'une épreuve de « culture générale », il ne leur est pas demandé de faire un exposé juridique. Ils peuvent développer librement des vues personnelles.
3. La direction de la Documentation étant un organisme d'études et d'édition, il est souhaitable que les candidats donnent au texte qu'ils rédigeront la présentation d'un article susceptible d'être publié dans une revue.

3 Dans son livre *Au nom de quoi* (Le Seuil, 1969) où il recherche les fondements d'une éthique, Alfred Grosser a écrit ce qui suit au sujet de la nation :

« Parmi les groupes, la nation occupe une place privilégiée, de plus en plus privilégiée. C'est là une constatation de fait et non un jugement de valeur. En juillet 1914, il n'était nullement certain qu'en Allemagne et en France, la solidarité nationale l'emporterait sur la solidarité prolétarienne. En septembre, il paraissait curieux que la question ait pu se poser. En 1928, les statuts de Komintern disaient : « L'Internationale communiste est l'organisation des partis communistes des différents pays en un parti communiste unique mondial... Le Comité exécutif donne des directives à toutes les sections de l'Internationale communiste et contrôle leurs activités. » En 1958, le secrétaire général du Parti Communiste français déclare : « Nous considérons comme fondamentaux : le respect de la souveraineté et de l'indépendance de chaque pays, le respect de la liberté de détermination de chaque parti communiste. »

« En 1950, on pouvait supposer que la nation, en Europe occidentale, cèderait la place à la solidarité européenne. Moins de vingt ans plus tard, cette supposition se trouve infirmée. En 1962, lorsque l'Algérie est devenue indépendante, ses dirigeants avaient théoriquement le choix entre quatre solidarités : solidarité maghrébine, solidarité arabe, solidarité africaine, solidarité de la nation algérienne. Il n'y eut même pas choix : malgré l'affirmation verbale de la seconde et troisième, toute la politique se fit par référence à l'État nation.

« On peut se demander quelles sont les conséquences inéluctables de la solidarité vécue à l'intérieur d'un système politique, au sein des mêmes institutions... On peut estimer que l'éducation a joué un rôle décisif en 1914 et que le patriotisme enseigné par les instituteurs français et allemands rendait inévitable la réaction des ouvriers en 1914. Mais le fait demeure ; dans la seconde moitié du XXe siècle, aucun autre groupe de référence n'a l'importance de la nation, ne tient parmi les valeurs politiques une place comparable à celle de la nation. »

Vous voudrez bien, d'abord, donner une définition de la nation, puis montrer, en vous référant aux événements politiques de ces dernières années, l'importance du fait national dans le monde et rechercher les raisons du maintien de sa prépondérance. Vous direz, enfin, quel est, à votre avis, l'avenir que peut avoir la nation et dans quelle mesure la valeur qu'elle représente est compatible avec d'autres valeurs.

4 Dans un article intitulé *La Justice en question* publié dans *Le Monde* du 30 octobre 1969, Robert Badinter et Jean-Denis Bredin ont écrit :

« Le temps où nous vivons tolère de plus en plus difficilement les souverainetés incontestées. Il sollicite de chaque institution, de chaque homme, qu'il remette en cause les raisons de son pouvoir, de son influence, et peut-être de son existence. Le fondement de l'autorité ne cesse d'être davantage dans la compétence, une compétence vérifiée et non posée en dogme. »

Vous commenterez ce texte en vous référant aux événements des dernières années en France et dans le monde. Vous discuterez ensuite l'affirmation finale des auteurs : selon vous, la compétence peut-elle et doit-elle être le fondement essentiel de l'autorité ?

5 « Paris a donné à la France la notion de liberté abstraite qu'aucun gouvernement n'a appliquée. Le droit de s'associer et le droit de gouverner, voilà les libertés efficaces dont veut user chaque parcelle du pays. Du jour où les hommes intelligents dans chacune de nos régions trouveraient le moyen de répandre leur activité, au lieu de venir s'entasser à Paris ou de s'isoler dans leur impuissance départementale, la décentralisation intellectuelle suivrait tout naturellement la décentralisation politique, et tant de forces et d'énergies, actuellement perdues, s'emploieraient à nous donner ces solutions sociales qu'on ne trouve pas dans un cabinet de Ministre ni même de penseur, mais par l'effort libre des besoins. » Maurice Barrès *(Scènes et doctrines du nationalisme).*

Après vous être demandé si la centralisation dans le cadre des institutions actuelles mérite un jugement aussi sévère que celui porté dans ce texte sur la centralisation de la Troisième République, vous discuterez l'opinion de Maurice Barrès. Vous exposerez ensuite comment se pose aujourd'hui en France le problème de la décentralisation : est-il lié nécessairement au problème régional ? Ce dernier peut-il être résolu sans danger pour l'unité nationale ? La région a-t-elle un rôle à jouer dans les perspectives européennes ? Vous direz enfin s'il vous paraît indispensable de promouvoir en France des institutions régionales, et lesquelles, pour permettre à chaque parcelle du pays « d'user des libertés efficaces ».

6 Qu'entend-on par le fait, pour un peuple, *d'être civilisé* ? Vous vous appuierez, pour en discuter, sur l'expérience de l'histoire et de l'époque contemporaine. Quel sens vous-même donnez-vous à cette expression ?

7 Un sociologue américain a récemment publié un livre intitulé *La foule solitaire* qui a fait l'objet de vifs débats dans les pays anglo-saxons.
L'auteur y soutient que nos civilisations industrielles, Europe et U.R.S.S. comprises, sont caractérisées, malgré le développement des moyens de communications et une « socialisation » accentuée, par une solitude croissante de l'individu.
Comment expliquez-vous une telle affirmation ? Vous paraît-elle ou non justifiée ? Qu'en pensez-vous pour le présent et l'avenir ?

8 Expliquez et discutez le texte suivant :
« Depuis l'aube de la révolution industrielle, les conditions de travail dans l'industrie ont été ressenties comme une contrainte particulièrement forte. Même si, de nos jours, elles ne s'apparentent guère aux descriptions de Villermé ou de Zola, et qu'à bien des égards, elles s'améliorent au fil des décennies, il n'en demeure pas moins que l'on voit depuis quelques années s'accentuer des signes de distance et parfois de refus vis-à-vis du travail industriel. Si l'on n'y prenait garde, le phénomène pourrait à terme s'opposer au développement de l'industrie et donc très largement à la prospérité de la société, voire, dans une période de concurrence internationale particulièrement aiguë, porter atteinte aux intérêts nationaux. »

N.B. Ce texte est extrait de la préface de Jérôme Monod à l'ouvrage *Transformation du travail industriel.*
(Éléments pour des scénarios de société.)
Collection : Travaux et recherches de prospective.
Édité par la Documentation Française, Paris, 1975.

2. Le Ministère des Affaires Étrangères

La place et le rôle de la France dans le monde actuel

EXEMPLE DE PLAN N° 1

1. La volonté de faire tenir à la France un rôle privilégié dans le monde a conduit notre pays à définir une politique extérieure indépendante et ambitieuse

1.1. *La France veut avoir un rôle privilégié dans le monde*

1.1.1. En fonction de son histoire.
1.1.2. En fonction de ce qu'elle estime être sa vocation.

1.2. *Elle a défini une politique extérieure indépendante et ambitieuse*

1.2.1. La volonté d'indépendance.
1.2.2. Les ambitions de la France

Transition : la France a-t-elle les moyens de ses ambitions ?

2. N'étant plus qu'une puissance moyenne, la France doit ajuster ses choix aux réalités du monde moderne

2.1. *La France, puissance moyenne*

2.1.1. Face aux superpuissances.
2.1.2. Face aux autres nations.

2.2. *Les choix nécessaires*

2.2.1. Dans le domaine économique.
2.2.2. Dans le domaine politique.

Une atténuation des mythes gaulliens quant au rôle et à la place de la France dans le monde se fait jour actuellement. Plus modeste dans ses objectifs comme dans ses moyens, la politique extérieure française n'en reste pas moins ambitieuse : abandonnant ses thèmes passéistes, elle entend préparer l'avenir d'un monde qui dépasserait les limites nationalistes et les intérêts égoïstes. Il reste que cette politique, certes moins tapageuse et plus réaliste, se heurte à des obstacles dont l'histoire nous dira si la volonté d'une seule nation peut les lever.

EXEMPLE DE PLAN N° 2

• L'influence de la France a marqué le développement de l'Occident pendant de longues périodes au cours des siècles précédents, que ce soit d'une manière positive, comme pendant ce qu'on a appelé le « siècle des lumières », ou d'une manière négative, comme à l'occasion des conquêtes napoléoniennes, qui ont affaibli et ruiné la plupart des nations européennes, dont la France.

La fin de la deuxième guerre mondiale la trouvait du côté des vainqueurs, ce qui lui permit de se placer, sur le plan des relations internationales, dans une position favorable à son retour au rang des grandes puissances.

Et c'est surtout le premier président de la Ve République qui a voulu que ce pays occupe une place à la hauteur de ses ambitions.

Héritiers de ce courant de pensée, les hommes qui ont succédé au Général de Gaulle ont souhaité à leur tour que la France se maintienne au niveau des autres « grands ».

• Mais on peut se rendre compte actuellement que, si la France cherche toujours à jouer un rôle important dans le monde actuel, elle n'en a plus les moyens.

1. La France cherche à jouer un rôle important, sinon déterminant, parmi les grandes puissances

Cela peut s'observer dans tous les domaines où la France se trouve confrontée avec les autres nations qui ont de l'importance dans le monde d'aujourd'hui.

1.1. La politique de défense.

1.2. Le domaine diplomatique.

1.3. Le plan économique.

1.4. Le domaine culturel.

• Autre plan possible, et peut-être meilleur pour cette 1ère partie :

1.1. *La volonté d'indépendance*
1.1.1. Sur le plan militaire.
1.1.2. Dans le domaine économique.

1.2. *Le désir de rayonnement*
1.2.1. Sur le plan diplomatique.
1.2.2. Dans le domaine culturel.

Conclusion 1 et transition

Cette volonté de jouer un rôle primordial dans le monde actuel se heurte perpétuellement au problème des moyens : le « vouloir » est limité par le « pouvoir ».

2. La France ne dispose dans le monde actuel que des moyens limités d'une puissance moyenne

2.1. *Les faiblesses de l'économie française et leurs conséquences*
2.1.1. Les faiblesses de l'économie française.

Les carences des ressources naturelles, notamment dans le domaine énergétique.

Le défaut de productivité et de compétitivité.

2.1.2. Les conséquences.

- Dans le domaine militaire (Problème de la crédibilité des forces françaises).
- Dans le domaine diplomatique (Infériorité non seulement par rapport aux « super-grands », mais encore par rapport à des voisins tels que la République fédérale d'Allemagne, et situation de dépendance par rapport aux pays producteurs de pétrole).

2.2. *Les faiblesses politiques de notre pays*

2.2.1. L'absence de consensus national.
2.2.2. L'absence de volonté nationale réelle.

Éléments de conclusion

La France a un héritage de présence et d'influence à l'étranger. Elle peut souvent en retirer un préjugé favorable. Mais, face à la concurrence militaire, diplomatique, économique ou culturelle des autres pays, elle ne peut s'en contenter si elle veut parvenir à réaliser ses ambitions qui sont restées les mêmes dans un pays dont la force s'est affaiblie face à la montée de quelques grandes puissances.

L'inadéquation entre ces ambitions héritées du passé et les moyens disponibles actuellement est telle que les termes du problème doivent être modifiés : si une action isolée a de moins en moins de raisons d'être, dans un monde dominé par deux pays riches et puissants qui se sont attachés une clientèle, il faut trouver dans une Europe intégrée et indépendante le moyen de conserver une certaine influence.

Éléments permettant de construire un plan en deux parties, ou de structurer une partie principale

Le souci de grandeur se traduit à la fois par des manifestations d'intransigeance et par des manifestations de générosité.

1. Les manifestations d'intransigeance

1.1. Dans le domaine de la défense nationale.

1.2. Dans le domaine des relations internationales.

2. Les manifestations de générosité

2.1. La France, terre d'asile et foyer culturel.

2.2. La France, premier défenseur des pays du Tiers Monde.

AUTRES SCHÉMAS DE PLANS POSSIBLES

Plan géographique

1. La France en Europe
2. La France dans le monde

ou

1. La France et ses partenaires de la Communauté européenne
2. La France et le Tiers Monde
3. La France face aux superpuissances.

Exercice méthodologique

La notion de souveraineté nationale

• Il s'agit d'une notion de science politique, c'est-à-dire d'une «notion-carrefour» faisant appel à plusieurs disciplines.

Elle fait appel notamment :

- A des notions de droit public, interne et international,
- A des notions d'histoire (histoire moderne et contemporaine, histoire des idées politiques, histoire diplomatique),
- A la connaissance du monde contemporain.

Une réflexion approfondie sur de telles notions présente l'avantage d'être utile pour différentes épreuves de concours, en l'espèce, outre la dissertation générale, l'histoire, le droit public et les relations internationales.

• Vous avez donc intérêt à effectuer ce genre d'exercice* le plus souvent possible :

- Définition et illustration d'une notion essentielle,
- Recensement des thèmes de réflexion et problèmes à évoquer,
- Formulation de sujets et préparation de plans détaillés.

Certes il convient d'éviter, dans la préparation et surtout lors des concours, de tomber dans «le mélange des genres».

• Si vous avez un tel sujet, très général, à traiter dans les conditions du concours, il faudra veiller à le définir soigneusement dans votre introduction.

Sans donner de conseils trop directifs, une indication de tendance peut être formulée : vous avez intérêt à élargir les sujets plutôt qu'à les concevoir de façon stricte.

* Exercice à faire seul ou en groupe. La meilleure méthode consiste évidemment à travailler d'abord sur papier blanc, puis à opérer les vérifications ou rechercher les compléments nécessaires dans vos ouvrages de base.
Le même exercice peut être opéré lorsque vous lisez des ouvrages nouveaux ou révisez des manuels déjà connus.

Dans le rapport sur les concours d'entrée à l'École Nationale d'Administration (1972), il est affirmé que « le jury attend des candidats que la copie démontre que le candidat connaît l'institution... mais aussi ses buts, son fonctionnement réel... », et l'on attend de vous, à propos d'un problème, l'expression d'une opinion personnelle et d'une personnalité.

- Dans les concours du plus haut niveau, beaucoup de sujets demanderont donc à être éclairés par la science politique, et même par un jugement politique.

Dans les concours du niveau le plus élevé, on ne vous demande pas seulement un exposé historique. Il faut aller au fond des problèmes, et non vous contenter de rester au simple stade de l'histoire événementielle. Il faut examiner les diverses thèses en présence, ou rechercher les diverses thèses possibles, puis tenter une synthèse, ou tout au moins exprimer un jugement personnel.

- Nous vous présentons maintenant un exemple de plan général sur la souveraineté nationale.

Exemple de plan général sur un grand sujet de synthèse

« La souveraineté nationale est-elle en progrès ou en déclin dans le monde ? »

Introduction

1. Présenter un bref rappel historique et une définition de la souveraineté nationale.

2. Situer la question dans le domaine des relations internationales.

Annonce du plan

Il apparaît que, si la souveraineté nationale a connu des progrès évidents au cours des deux derniers siècles, elle est de nos jours de plus en plus remise en question.

1. Des progrès évidents depuis deux siècles

Le monde contemporain a permis à de multiples nations nouvelles de s'affirmer. Il convient d'examiner les causes de ce phénomène, puis d'en exposer les manifestations.

1.1. *Les causes du progrès des nationalités*

Les causes du progrès des nationalités sont fort nombreuses et complexes. On peut cependant affirmer que ce phénomène résulte de l'influence des idées politiques et de l'histoire récente, et qu'il a été voulu ou subi par les grandes puissances.

1.1.1. L'influence des idées politiques et de l'histoire récente
- Le développement des mouvements libéraux et nationaux au cours du XIXe siècle.
- L'exacerbation des nationalismes au cours du XXe siècle.

1.1.2. L'attitude des grandes puissances
- Certaines grandes puissances soutiennent le développement des nations nouvelles (rôle des États-Unis avec Wilson, puis Roosevelt, rôle de l'U.R.S.S.).
- Les puissances coloniales sont trop affaiblies par les guerres mondiales pour s'opposer à la décolonisation (exemples de la Grande-Bretagne et de la France).

1.2. *Les manifestations du phénomène*

Le phénomène national s'est manifesté par l'accession de nombreux pays à l'indépendance, et par le souci de l'ensemble des États de maintenir leur indépendance.

1.2.1. La multiplication des États nouveaux
- Le premier et le deuxième après-guerre (décolonisation en Orient).
- La décolonisation de l'Afrique noire dans les années 1960.
- La naissance d'une poussière de petits États.

1.2.2. La volonté d'indépendance
- Le souci d'égalité entre les États. L'O.N.U. et son rôle.
- Le principe de non-ingérence dans les affaires intérieures d'un État.
- Indépendance politique et indépendance économique.

Conclusion 1 et transition

Que leur indépendance soit ancienne ou récente, les peuples tendent à la préserver et à affirmer leur spécificité nationale.

Pourtant la souveraineté nationale semble reculer sous l'effet de dominations de type traditionnel ou de type nouveau.

2. Une remise en question à la fin du XXe siècle

Si la souveraineté nationale est remise en question à la fin du XXe siècle, c'est à la fois pour des raisons de fait et pour des raisons de principe. D'une part, dans les faits, on constate le maintien ou le développement de divers effets de domination. D'autre part, les nécessités de la coopération internationale amènent à remettre en cause le principe même de la souveraineté des États.

2.1. *Les effets de domination*

Aux divers effets de domination de type traditionnel s'ajoutent maintenant des effets de domination d'un type nouveau.

2.1.1. Les dominations de type traditionnel
Il s'agit de pressions classiques, politiques ou militaires, et aussi économiques.
- Les pressions politiques directes des États puissants sur les faibles sont toujours sensibles aujourd'hui (impérialisme russe ou américain).
- Les pressions militaires sont liées aux précédentes (politique des blocs et interventions militaires directes).

- La domination économique a un poids croissant, qu'il s'agisse de celle d'une superpuissance comme les États-Unis, ou des menaces permanentes que les grandes sociétés multinationales peuvent représenter pour les pays qui les reçoivent.

2.1.2. Les nouveaux types de domination

- Le néo-colonialisme (citer des exemples en Afrique, Asie, Amérique Latine).
- La domination culturelle (« américanisation » du monde occidental, « soviétisation » de l'Europe de l'Est, destruction des cultures traditionnelles de nombreux pays du Tiers Monde).

La souveraineté nationale apparaît donc souvent menacée, malgré l'émergence de nombreux nouveaux États. Mais le nombre excessif des États eux-mêmes implique des limitations à leur souveraineté.

2.2. *La nécessaire coopération internationale*

Les nécessités de la coopération internationale vont imposer aux États des limitations de souveraineté de plus en plus importantes, sur le plan économique, et aussi sur le plan politique.

2.2.1. La coopération économique

- Les conséquences absurdes de la balkanisation du monde, et le nécessaire remède : la coopération internationale.
- Analyse des principaux exemples de coopération économique (montrer en quoi celle-ci implique des abandons de souveraineté).

2.2.2. Vers l'union politique

- L'union économique entraîne nécessairement, à long terme, l'union politique (exemple de la Communauté européenne).

A contrario, tout retour en arrière sur le plan politique se traduit par des risques graves de régression économique.

- La survie même de l'humanité implique des limitations à la souveraineté politique et militaire des États (nécessité de lutter contre la prolifération des armements nucléaires, et de préserver l'écologie).

Conclusion

- Le nécessaire développement des organisations internationales.
- Réflexion sur la notion de patrie, en opposition à celle de nation.

Si chaque État doit s'attendre à une diminution de sa souveraineté, il faut s'efforcer de préserver les valeurs culturelles propres à chaque patrie.

Pensez-vous que la civilisation moderne, qui porte de plus en plus atteinte au milieu naturel, saura trouver sa discipline grâce à un effort concerté des nations ?

Orientations générales

Le problème des atteintes au milieu naturel constitue maintenant un sujet classique dans les Concours de Catégories A ou B.

Au niveau de la Catégorie A, on pourra exiger de vous une réflexion approfondie sur les implications internationales de ce problème.

Le plus simple semble de suivre le plan suggéré par l'énoncé du sujet :

1. La civilisation moderne porte de plus en plus atteinte au milieu naturel

1.1. L'agriculture, et plus encore l'industrie épuisent les ressources naturelles.

1.2. Les activités économiques (exploitations minières, bâtiments industriels, implantations touristiques...) détruisent les sites.

1.3. Notre planète souffre maintenant de pollution généralisée.

Conclusion 1 et transition

- C'est le destin même de l'humanité qui est en cause.
- Une prise de conscience s'est opérée, de la part de l'opinion publique comme de la part des gouvernants.

2. Un effort concerté des nations s'avère indispensable

2.1. La coopération pour une mise en valeur raisonnable des ressources naturelles.

2.2. La coopération pour la protection des sites.

2.3. La coopération pour la lutte contre la pollution.

Conclusion 2

Vous pouvez examiner le rôle respectif des États et des organisations internationales.

Éléments de conclusion générale

Vous pouvez rédiger deux paragraphes :

- Le rôle de l'opinion publique,
- Le rôle exemplaire que la France devrait jouer en ce domaine.

● Autres formulations dans divers examens et concours :

- La pollution doit-elle être considérée comme une fatalité du monde moderne ?
- La civilisation moderne va-t-elle périr du fait du développement de ses moyens techniques ?

Après avoir rapidement rappelé les principales formules de coopération entre puissances industriellement développées et pays du Tiers Monde, indiquez les critiques dont elles ont fait l'objet et les justifications qu'à votre sens elles peuvent invoquer.

Il s'agit d'un sujet de Catégorie A de niveau élevé. Cependant, à tous les niveaux, vous devez pouvoir réfléchir sur la nécessaire coopération entre les pays riches et les pays pauvres, en faisant appel à la fois à l'actualité et à vos souvenirs de géographie économique et humaine du baccalauréat.

Plan schématique

Les formules de coopération entre puissances industriellement développées et pays du Tiers Monde peuvent être classées en deux catégories principales : les relations bilatérales et la coopération multilatérale. Chacune présente ses avantages et ses inconvénients.

1. Les relations bilatérales

Vous pourrez prendre comme exemple principal les relations de la France avec ses anciennes colonies. Mais il ne faut pas négliger les autres cas (Grande-Bretagne et Commonwealth, Allemagne, États-Unis, U.R.S.S.).

1.1. *Cette formule répond à des données de fait :*

- Les liens entre une métropole et des anciennes colonies,
- Des relations commerciales entre un pays industriel et un pays fournisseur de matières premières.

1.2. *Elle fait l'objet de nombreuses critiques :*

- Sur le plan politique, l'accusation de néocolonialisme,
- Sur le plan économique, l'accusation d'inefficacité (le « saupoudrage » de l'aide...).

1.3. *Elle conserve cependant ses justifications :*

Souplesse et adaptation - à condition qu'elle soit fondée sur l'égalité et sur une volonté commune des deux parties.

Transition : Elle est toutefois insuffisante pour faire face aux problèmes planétaires actuels. Il faut donc développer la coopération multilatérale.

2. La coopération multilatérale

Après avoir évoqué les principaux exemples actuels, il vous faudra résumer les critiques dont ils font l'objet, et exposer vos réflexions et propositions personnelles.

2.1. *Les principales formules de coopération :*

- Le rôle des organisations à vocation mondiale, O.N.U. et organes associés,
- Le rôle des organisations régionales (distinguer celles qui rassemblent des pays industriels, comme la Communauté Économique Européenne, et celles qui rassemblent des pays en voie de développement, notamment en Afrique et en Amérique Latine).

2.2. *Les critiques formulées à leur encontre :*

- Au nom de l'efficacité (leur coût excessif...),
- Au nom de l'intérêt national (la plupart des États répugnent à se dessaisir de leurs prérogatives ou de leurs moyens d'action au profit des organisations internationales).

2.3. *Les justifications l'emportent sur les défauts qui doivent être corrigés :*

- La coopération multilatérale est la seule qui puisse permettre de résoudre les problèmes à l'échelle planétaire (croissance et développement, exploitation rationnelle des ressources, lutte contre la misère et la pollution).

- Elle peut devenir plus efficace si elle est mieux organisée (fixation des priorités, développement de la planification...).

Éléments de conclusion

Vous pouvez souligner l'importance du rôle de la France en faveur des pays en voie de développement. Pendant longtemps, elle a été le pays qui leur a consacré la fraction la plus importante de son revenu national. La France ne devrait-elle pas maintenant consacrer davantage d'efforts à une amélioration de la coopération multilatérale ?

Ouvrage recommandé : *Pays sous-développés ou pays en voie de développement ?*, tome 1, par J.-F. Couet / J. Brémond, et tome 2, par J.-F. Couet / R. Lignières, collection Profil Dossier.

Quelles réflexions suggère pour vous cette phrase de Malraux : « La culture ne s'hérite pas, elle se conquiert » ?

Orientations générales et plan schématique

Au niveau du baccalauréat, il s'agit d'un sujet de morale et culture générale. Dans un concours de catégorie A, il faut en outre analyser le problème sur le plan politique : inégalités sociales et culturelles, développement culturel régional, nation et culture...

En introduction, vous pouvez situer à la fois la phrase et son auteur, homme de lettres et homme politique, qui fut pendant près de dix ans ministre des Affaires culturelles.

Il convient d'évoquer le problème du *droit à la culture.* Vous citerez le préambule de la Constitution de 1946 : « La nation garantit l'égal accès de l'enfant et de l'adulte à l'instruction, à la formation professionnelle et à la culture. L'organisation de l'enseignement public, gratuit et laïque à tous les degrés est un devoir de l'État. »

Vous pouvez ensuite illustrer les deux termes de la phrase.

1. Dans notre société, la culture semble très largement « héritée »

Vous pouvez citer quelques études, enquêtes ou ouvrages célèbres, comme ceux de Pierre Bourdieu et Jean-Claude Passeron, aux titres évocateurs : *Les héritiers* et *La reproduction* (aux éditions de Minuit).
Vous noterez successivement :
1.1. *Le poids des traditions sociales et culturelles.*

1.2. *Les résultats encore insuffisants des efforts de démocratisation.*

Conclusion 1 et transition vers 2

Vous pourrez porter une appréciation sur l'évolution sociale et culturelle de notre pays.

Un phénomène important doit être noté, qui est commun à la plupart des États du monde moderne : les barrières culturelles se substituent de plus en plus aux barrières sociales traditionnelles. C'est un grave problème pour la démocratie elle-même. Il faut donc réagir contre cet état de fait.

C'est ce qui explique la réaction d'André Malraux, qui se veut avant tout un homme d'action : la culture se conquiert.

2. La promotion individuelle et collective exige une conquête de la culture

Vous pourrez exposer successivement ce que doivent être :

2.1. *Une attitude individuelle volontariste.*

2.2. *Une véritable politique de développement culturel.*

Notre société est fondée sur l'épanouissement individuel. Chacun doit prendre en main son propre destin (c'est le sens de la phrase d'André Malraux).

Mais il faut aussi que la société facilite l'éclosion et la réalisation des aspirations culturelles.

Vous formulerez vos réflexions ou propositions personnelles sur le rôle de l'État, des collectivités locales et des associations.

Éléments de conclusion

La France, « mère des arts , des armes et des lois », a toujours su se distinguer par son rôle culturel. Vous soulignerez qu'elle peut et doit conserver un rôle exemplaire dans le domaine culturel.

Si vous ne l'avez pas déjà fait au cours de vos développements, vous vous interrogerez sur les aspects collectifs et internationaux du problème. La phrase d'André Malraux peut-elle s'appliquer aux régions, et surtout aux nations ?

Le fait nucléaire et ses diverses conséquences dans l'évolution de l'humanité.

Au fur et à mesure que s'affirme l'importance de ce problème, ce sera certainement un sujet de plus en plus fréquent dans les divers examens et concours.

PLAN SCHÉMATIQUE

1. Le fait nucléaire

Si vous avez des souvenirs assez précis, vous pouvez présenter un historique des découvertes et de leurs applications militaires et industrielles.

2. Les conséquences bénéfiques

2.1. *L'énergie nucléaire et son avenir.*

2.2. *Les autres applications scientifiques et techniques.*

3. Les risques pour l'humanité

3.1. *Un triple problème de sécurité*

- Les armements
- Les usines
- Les déchets radio-actifs.

3.2. *Les précautions nécessaires*

- Sur le plan national
- Sur le plan international.

N.B. Tout au long de votre exposé, vous pourrez présenter des détails sur les positions de la France dans ce domaine. Dans un concours de catégorie A de niveau élevé, vous devrez citer abondamment les positions des autres puissances concernées.
En conclusion, vous pourrez montrer quel rôle exemplaire la France devrait jouer en ce domaine.
Ouvrage recommandé : *L'énergie nucléaire et les autres sources d'énergie*, par R. et G. Guglielmo, Collection Profil Dossier.

Part respective des ressources naturelles et de l'effort humain dans le développement et la richesse des nations.

PLAN SCHÉMATIQUE

1. Les ressources naturelles sont un facteur important de richesse pour les nations

1.1. *Cela s'est vérifié dans l'histoire.*

1.2. *Cela reste vrai dans le monde actuel.*

2. L'effort humain joue un rôle encore plus important dans le développement

2.1. *Vous pouvez citer deux exemples contraires :*

- Celui des pays richement dotés, mais où l'effort humain s'est révélé insuffisant.
- Celui des pays pauvrement dotés, mais qui ont su atteindre un haut degré de développement.

2.2. *Vous présenterez des propositions pour*

- Une meilleure exploitation des ressources naturelles de la planète.
- Une politique de développement concertée à l'échelle mondiale.

N.B. Vos développements devront être abondamment illustrés par des exemples choisis en France (la politique régionale, l'aménagement du territoire, la planification souple...) et à l'étranger (pays occidentaux, pays socialistes et Tiers Monde).
Vous pourrez présenter une conclusion sur la notion de « nouvelle croissance », en soulignant ses finalités humaines.

3. Le Ministère de la Défense

La politique de défense de la France sous la Ve République

● Le choix d'une politique de défense est actuellement l'un des problèmes politiques les plus importants dans beaucoup de pays, puisqu'il en conditionne la survie.

En raison du coût de la défense nationale et de ses implications, cette question donne lieu à des débats qui sont souvent passionnés - c'est notamment le cas de la France.

Il convient donc, après avoir décrit le système de défense de la France, d'examiner les principaux éléments des controverses.

● LE SYSTÈME DE DÉFENSE DE LA FRANCE

A. Rappel historique

1. *Le cadre accepté par la IVe République*

La défense de la France était orientée principalement vers la prévention de toute attaque venue de l'Est. Elle était assurée dans le cadre de l'Organisation du Traité de l'Atlantique Nord (O.T.A.N.). Elle reposait essentiellement sur la protection accordée à l'Europe occidentale par les États-Unis, leur force nucléaire et leurs troupes stationnées sur notre continent.

2. *La critique effectuée au début de la Ve république*

- Le système n'était pas totalement sûr. Il supposait que les États-Unis accepteraient de prendre le risque atomique pour la défense de l'intégrité du territoire européen - c'est-à-dire le risque d'être détruits pour une cause qui n'était point vitale pour eux.
- Il entraînait une subordination politique des pays européens à l'égard des États-Unis - ce qui est incompatible avec la souveraineté, la dignité et l'indépendance d'une nation.

B. Le développement d'un système de défense autonome

1. *Les efforts entrepris*

- Sur le plan technologique
  Le développement de la recherche nucléaire (qui avait d'ailleurs été engagé par la IVe République).
- Dans le domaine stratégique
  La dissuasion nucléaire et la force nucléaire stratégique.
- Sur le plan diplomatique.

2. *La situation actuelle*

Présenter le bilan de nos forces :
- Dans le domaine nucléaire
- Dans le domaine traditionnel.

Question et transition

La situation actuelle est-elle satisfaisante ?

● LES CONTROVERSES RÉCENTES

Le retrait de la France de l'O.T.A.N., comme sa décision de se doter d'une force nucléaire, ont été très controversés. Les controverses ont porté aussi bien sur le plan de l'efficacité que sur le plan moral et politique.

A. Sur le plan de l'efficacité

Les controverses portent à la fois sur le plan technique et sur le plan financier.

1. *Sur le plan technique*

a. La France ne dispose que d'un arsenal nucléaire de faible importance par comparaison avec celui des super-puissances

Deux thèses s'affrontent à cet égard :

- Dans le cadre d'une stratégie orientée vers la dissuasion plutôt que vers l'attaque, l'essentiel est que l'arsenal soit suffisant pour causer des pertes irrémédiables à l'adversaire.
- On peut soutenir au contraire que, notre pays étant à la fois faible et dangereux pour une super-puissance adverse, il constituerait, en cas de conflit, une cible immédiate pour une destruction totale; de ce point de vue, la «force de frappe» serait plus nuisible qu'utile.

b. Quel est le rôle des forces traditionnelles? Quelle est la situation de la France à cet égard? Pour se doter d'une force nucléaire inutile, la France n'a-t-elle pas dangereusement négligé les armements traditionnels?

A-t-elle les moyens de miser sur les deux tableaux? C'est ici que l'on trouve le problème financier.

2. *Sur le plan financier*

La force de frappe est-elle un facteur d'économie ou de gaspillage?

Il est certain que son coût financier est très important. L'acquisition, l'entretien, la mise en disponibilité permanente et le perfectionnement de cette force sont très coûteux. Cependant, il ne semble pas que le budget consacré par la France à son armement soit supérieur, en pourcentage du produit national brut, à celui des autres nations comparables.

L'estimation de la dépense est elle-même très controversée. Même si l'on s'accorde sur un chiffre, on peut tenir deux raisonnements inverses :

- La France obtient au moindre coût un degré de sécurité supérieur à celui des pays non nucléaires.
- La France a gaspillé des sommes telles qu'elle est plus vulnérable sur le plan économique et financier, donc, en réalité, moins indépendante.

Éléments de comparaison intéressants :
- La Grande-Bretagne, qui est restée liée aux États-Unis,
- La République Fédérale d'Allemagne, que l'on a qualifiée, pendant longtemps, de « nain politique », mais « géant économique ».

B. Sur le plan moral et politique

Les choix actuels de la France peuvent être discutés sur le plan politique comme sur le plan moral.

1. *Sur le plan politique*

- La politique française n'est-elle pas un obstacle à la détente ?
- La politique française n'est-elle pas dangereuse ? Ne contribue-t-elle pas à accroître les risques de conflits ? N'aggrave-t-elle pas les menaces qui pèsent sur l'environnement ?
- La France ne devrait-elle pas trouver d'autres moyens d'assurer sa sécurité et son rayonnement ?

2. *Sur le plan moral*

Aux multiples condamnations qui ont été prononcées, il semble que l'on ne puisse opposer que des arguments insuffisants :
- La dissuasion nucléaire ne comporte pas d'aspects agressifs ou offensifs.
- La condamnation devrait être prononcée à l'encontre de l'ensemble des pays détenteurs d'armes nucléaires.
- Les rapports entre les États ne se situent que rarement sur le plan moral.

• ÉLÉMENTS DE CONCLUSION

1. Il vous revient de définir votre position personnelle en ce domaine.

2. Quelle que soit votre position quant au fond, vous pouvez vous interroger sur la clarté des débats en ce domaine, et sur le rôle des citoyens comme sur celui des dirigeants.

Les Français ont-ils été suffisamment bien informés ?

Leur a-t-on permis de s'exprimer ?

N.B. Lors des campagnes politiques les plus récentes, un plus large consensus s'est exprimé en faveur de la force de dissuasion nationale.

3. Au cas où vous ne les auriez pas abordées au cours de vos développements, vous pouvez vous poser certaines questions importantes relatives au cadre général de la politique de défense.

Exemples

- La diplomatie joue-t-elle encore un rôle en matière de défense nationale ?
- Quel est le rôle des facteurs humains, notamment celui de la cohésion nationale ?

4. Vous pouvez enfin méditer sur la portée de l'exemple de la France.

- L'attitude française constitue un encouragement pour d'autres pays à se doter d'une force nucléaire. La dissémination de ces armements va constituer un risque mortel pour l'humanité.
- La France ne serait-elle pas plus fidèle à sa vocation en donnant l'exemple du désarmement ?

Autre plan possible

- Les objectifs.
- Les moyens.
- L'efficacité réelle.

Concours du Commissariat de l'Air et du Commissariat à la Marine

Épreuve de culture générale

Le concours comporte à l'écrit une composition sur un sujet se rapportant à l'évolution générale des idées et faits politiques, économiques et sociaux depuis le début du XXe siècle.

Durée : 6 heures - coefficient : 6

---

1 L'importance et la signification des groupes dans la vie contemporaine. *(1971)*

• Voilà un immense sujet de sociologie et de science politique. Il importe de bien le situer :

- *Dans l'espace* : si vous faites porter l'essentiel de vos développements sur le cas de la France, n'omettez point d'effectuer des comparaisons avec les autres pays de civilisation comparable (pays latins, pays anglo-saxons, pays scandinaves, au sein de la civilisation industrielle occidentale), d'une part, et de l'autre, avec les pays socialistes et les pays en voie de développement.

- *Dans le temps :* si le sujet porte essentiellement sur la vie contemporaine, il n'en faut pas moins quelques comparaisons historiques, d'une part, et de l'autre, un effort de réflexion prospective.

• La place et le rôle des groupes devraient être analysés dans tous les domaines de la vie : individuelle, économique, sociale, culturelle, administrative et politique, internationale.

Nous soulignons, encore une fois, que le jury vous jugera non seulement sur l'étendue de votre culture, mais surtout sur la qualité de votre effort de synthèse.

2 En quel sens peut-on parler de guerre aujourd'hui ? *(1972)*

• Le thème de « la guerre et la paix » a inspiré de savants ouvrages de science politique et de sociologie des relations internationales.

Un tel sujet doit être examiné à la fois d'un point de vue doctrinal et par référence à l'actualité.

Vous avez intérêt à ne pas vous limiter à une interprétation trop étroite. A titre d'exemple, il est certainement légitime de parler, de nos jours, de « guerre économique ».

3 Sujet connexe :

Le terrorisme (cf. l'ouvrage de B. Gros dans la collection Profil Actualité).

4 Qu'est-ce que la connaissance de l'atome et la maîtrise de l'espace ont introduit de nouveau dans les conditions d'existence de l'humanité ? *(1973)*

et

5 L'informatique peut-elle et doit-elle modifier nos conditons d'existence ? *(1974)*

• Voilà deux excellents sujets connexes. Il s'agit, à partir d'un phénomène particulier, d'effectuer une réflexion générale sur les conditions d'existence de l'humanité, et, plus précisément, sur leur évolution.

Le plan le plus simple consiste à analyser les conséquences heureuses et les conséquences néfastes du progrès scientifique et technique.

• Puisqu'il s'agit d'un concours de haut niveau, le jury attend également que vous exposiez comment multiplier et généraliser les bienfaits des techniques nouvelles, tout en prenant les précautions nécessaires pour limiter leurs inconvénients.
Ouvrage recommandé : *Ordinateurs et vie quotidienne*, par J. Brémond, collection Profil Actualité.

6 Sommes-nous en sûreté dans le monde actuel ?
Qu'en pensent, par exemple, le juriste, le sociologue ou le stratège ?
Et vous-même ? *(1975)*

• Voilà un « thème-carrefour » intéressant.

Il serait trop « primaire » de suivre le plan qui semble suggéré en présentant successivement l'avis du juriste, du sociologue, du stratège et votre avis personnel.

Mieux vaut centrer votre exposé sur deux ou trois thèmes fondamentaux, par exemple :
Les aspects matériels et techniques.
Les aspects juridiques et politiques.
Les aspects internationaux.

---

7 Par quelques exemples précis, que vous choisirez dans l'ordre principal de vos études, dites quel sens vous donnerez à ce qu'on dit avoir été le passage de l'État gendarme à l'État providence. *(1976)*

Le passage de l'État gendarme à l'État providence constitue un thème classique en droit public comme en dissertation générale.

Il semble nécessaire de bien l'illustrer sur le plan social comme sur le plan juridique.

---

8 Sens et limites de l'idée de propriété à notre époque. *(1976)*
9 L'idée d'indépendance dans la civilisation du XXe siècle. *(1978)*

---

4. Le Ministère de l'Intérieur

Thème de réflexion

Décentralisation et meilleure répartition des responsabilités

Le VIIe Plan devra permettre de franchir des étapes significatives dans la voie d'un meilleur partage des responsabilités entre l'État, les autres collectivités publiques, les citoyens et leurs associations.

A cette fin, il faut notamment :

A - Confier des responsabilités plus claires aux collectivités locales et y adapter leurs moyens.

B - Renforcer le rôle spécifique des régions.

C - Susciter un renouveau de la vie associative.

Nous reproduirons ci-dessous les lignes d'action proposées par le rapport sur l'orientation préliminaire du VIIe Plan (*Journal Officiel* du 12 juillet 1975).

Après avoir lu attentivement ces propositions, vous effectuerez l'exercice personnel suivant :

- vous définirez la notion de décentralisation et vous analyserez son évolution,
- vous compléterez les idées retenues du texte par vos idées personnelles,
- vous les illustrerez par des exemples choisis,
- vous préparerez un plan détaillé, et, mieux encore, vous rédigerez une composition complète sur « le développement de la décentralisation »,
- vous rédigerez une conclusion personnelle, qui devra porter notamment sur le rôle respectif des pouvoirs publics et des citoyens.

A. Confier des responsabilités plus claires aux collectivités locales et y adapter leurs moyens

Les collectivités locales doivent disposer d'une autonomie de décision et d'une capacité d'intervention plus grandes pour concevoir et réaliser les équipements collectifs et gérer les services publics qui sont le plus étroitement liés à la vie économique et sociale locale.

Dans cette perspective, il conviendra tout d'abord de clarifier les responsabilités respectives de l'État et des collectivités locales. Les obligations qui, relevant des missions de l'État, reposent encore sur les collectivités décentralisées seront progressivement réduites. En sens inverse, lorsque l'exercice de responsabilités incombant à titre principal à un agent décentralisé nécessitera l'intervention de l'État ou d'une autre collectivité publique intermédiaire, cette intervention devra être réduite à ce qui est indispensable, notamment quant au choix des normes techniques et aux procédures réglementaires.

Par ailleurs, dès lors que la décentralisation se traduira par des responsabilités accrues, les effectifs locaux devront être renforcés. Ils devront pouvoir utiliser les services de collaborateurs administratifs et techniques qualifiés.

La coopération entre collectivités publiques est déjà bien entrée dans les faits, mais le processus de décentralisation peut lui donner une dimension nouvelle. L'élargissement des procédures de coopération pourrait se faire de plusieurs manières :

- Par la conclusion d'accords de coopération pour certaines actions temporaires ou certains programmes à durée de vie bien définie ;
- Par l'élargissement des possibilités ouvertes aux collectivités publiques de se confier mutuellement l'exercice de tout ou partie de certaines compétences ;
- Par le développement et la diversification d'institutions d'utilité commune, notamment sous forme d'organismes communs à des collectivités même non limitrophes ou à

des collectivités de nature différente, la région constituant un cadre privilégié pour ces diverses formes de coopération.

Confrontées à des problèmes de plus en plus nombreux et complexes, appelées à jouer un rôle accru dans la vie publique, les collectivités locales doivent disposer de ressources ordinaires d'autant plus importantes que leur endettement croissant traduit la détérioration de leur situation financière. D'une manière générale, il importera de donner aux ressources des collectivités locales un caractère largement évolutif qui ne soit pas lié à la seule fiscalité directe locale.

La possibilité pour les collectivités locales de se procurer des ressources propres suffisantes sera accrue par la poursuite des efforts déjà engagés dans le sens d'une modernisation des bases des impôts locaux traditionnels, notamment la substitution de la taxe professionnelle à la patente, et par l'affectation à leur profit du produit des cessions de droits de construire prévue par le projet de loi foncière.

Dans le cadre de la clarification des responsabilités des collectivités locales en matière d'équipement, des ressources globales seront progressivement substituées aux subventions spécifiques correspondantes. Par ailleurs, tout transfert de nouvelles attributions en matière de services publics s'accompagnera de la mise à la disposition des collectivités locales de ressources adaptées. La répartition de l'ensemble des ressources ainsi transférées tiendra compte :
- D'une part, des disparités de situation financière entre les collectivités qu'elle contribuera à réduire par une juste péréquation;
- D'autre part, des efforts propres que les collectivités auront déployés, par elles-mêmes ou en se regroupant, pour améliorer leur gestion et leur capacité à assumer effectivement les attributions qui leur sont transférées.

B. Renforcer le rôle spécifique des régions

Aux tâches nouvelles nées de la coopération avec les collectivités locales dont les responsabilités seront accrues, s'ajouteront, pour les régions, les missions qui leur seront confiées dans le cadre du VIIe Plan. En effet, avant d'envisager d'apporter des modifications à la loi du 5 juillet 1972, le Gouvernement entend tirer le meilleur parti des possibilités qu'elle offre, en opérant notamment des transferts échelonnés d'attributions et de ressources en matière de financement des équipements collectifs, de planification et d'organisation de divers services publics. Ces prochaines étapes pourraient porter en particulier sur les interventions qui incombent à l'État en matière d'aménagement et de développement régional.

Les instances régionales seront consultées à l'occasion de la préparation du Plan national. Chacune d'elles pourra élaborer un programme relatif aux orientations de son développement qui servira de cadre pluriannuel à la programmation des équipements déconcentrés.

Des attributions supplémentaires pourront leur être confiées, notamment dans des domaines tels que la mise en œuvre d'une politique des transports collectifs régionaux, la lutte contre les nuisances, la protection et la gestion des sites et des parcs naturels régionaux. Les transferts nécessaires de ressources devront être assurés.

En outre, les régions pourront développer leur participation au financement de fonctions assumées par d'autres collectivités publiques grâce à leurs ressources propres dont l'accroissement devrait être envisagé au cours des prochaines années, et en usant de la faculté de coopérer avec d'autres régions.

N.B. Ces paragraphes risquent de paraître abstraits à beaucoup de candidats, notamment à ceux qui n'ont encore reçu aucune initiation au droit administratif ou aux finances publiques.
Il s'agit toutefois de grandes questions de l'actualité administrative.
Vous en trouverez fréquemment des illustrations aussi bien dans la presse nationale que dans la presse régionale et locale.

C. Susciter un renouveau de la vie associative

Qu'il s'agisse de groupements d'habitants, d'usagers de services collectifs ou de consommateurs, les associations nées de l'initiative des citoyens constituent un cadre d'exercice des responsabilités dans la vie sociale que les pouvoirs publics souhaitent encourager.

Il conviendra d'examiner comment développer et renforcer leurs possibilités d'intervention et en particulier :

- D'étudier quelles améliorations immédiates peuvent être apportées aux procédures de consultation des citoyens et des associations, notamment lorsque des projets de décisions administratives mettent en cause l'aménagement du cadre de vie et la protection de l'environnement;
- D'apprécier par quelles dispositions de nature juridique ou financière pourront être renforcés leurs moyens tant en personnel qu'en ressources, et assurée la continuité indispensable de leur action particulièrement pour les associations qui concourent à l'exécution de tâches de service public.

N.B. Si vous ne l'avez point déjà fait, il importe de rédiger une composition complète, ou tout au moins un plan détaillé sur les grands problèmes qui se posent au niveau de votre région. Il est indispensable de bien y réfléchir, à titre d'exercice civique tout autant que dans l'optique des concours administratifs. Cela vous sera utile pour illustrer beaucoup de sujets. Il faut souligner que c'est un thème fréquent de questions à l'oral, notamment au cours de l'épreuve de conversation. N'est-il pas logique qu'un jury soucieux de recruter des fonctionnaires actifs cherche à vérifier si les candidats se sont bien intéressés aux problèmes et à la vie de leur région ?

Commissaire de Police

---

1 Comment comprenez-vous et justifiez-vous cette formule du Président de la République : « La France a épousé son siècle » ?

Il s'agissait - vous l'avez certainement reconnu - d'une formule du Général de Gaulle. Dans un concours de Catégorie A de niveau élevé, il convient d'effectuer une analyse approfondie du contexte de cette formule et de l'œuvre de son auteur.

Efforcez-vous de répondre aux questions suivantes :
- Quelles ont été, quelles sont les grandes transformations survenues dans le monde au cours du XXe siècle dans les domaines politique, économique et social ?
- La France a-t-elle toujours cherché à s'y adapter ?
- Quels sont les principaux efforts fournis (ou à fournir) par notre pays ? Quels exemples d'adaptation réussie pouvez-vous citer ?
- Quelles sont les perspectives dans les divers domaines analysés ?

Les idées de base pour traiter ce sujet se trouvent notamment dans les travaux du Plan, puisque ceux-ci ont pour objet essentiel de permettre à notre pays de s'adapter aux grands problèmes économiques et sociaux.

Vous pourrez vous reporter à l'ouvrage de M.-C. Ferrandon et I. Waquet, *La France depuis 1945*, collection Profil Dossier.

---

2 « Le rôle de Paris dans l'histoire de la France depuis 1789. »

Un tel sujet fait appel à des notions d'histoire politique, bien sûr, mais aussi à des notions d'histoire économique, sociale et culturelle. Vous devrez rappeler les grandes lignes de l'évolution et décrire la situation actuelle dans ces principaux domaines, en faisant preuve, si possible, de profondeur et de rigueur dans l'analyse historique, puis de réalisme dans l'appréciation des données actuelles.

Une telle réflexion est intéressante, car beaucoup de sujets d'ordre général vous amèneront à analyser le rôle respectif de Paris et de la Province, ou à comparer la situation de la région parisienne et celle du reste du pays.

---

3 Commentez et discutez cette pensée : « Un monde gagné pour la technique est perdu pour la liberté » *(Bernanos).*

C'est à la fois un sujet de morale et un sujet de science politique. Il vous revient de réfléchir à la valeur du progrès technique et à ses conséquences, notamment dans le domaine de la liberté. Il faudra examiner le problème de la liberté, dans tous les domaines : liberté politique, droits économiques et sociaux, conscience individuelle.

---

4 M. Raymond Aron pose la question suivante :
« L'accroissement incontestable des moyens de production va-t-il amener une ère d'abondance ou bien la multiplication des richesses n'aboutira-t-elle qu'à multiplier le nombre des hommes, une minorité seule bénéficiant des conquêtes du genre humain ? »
Commentez cette interrogation et dites ce que vous en pensez.

Question complexe, mais intéressante : elle fait appel à des réflexions approfondies sur le progrès technique et sur l'accroissement démographique, ainsi que sur des ensembles importants de phénomènes politiques, économiques et sociaux.

---

5 Analysez et discutez cette pensée de Paul Valéry : « Le mensonge et la crédulité s'accouplent et engendrent l'opinion. »

C'est à la fois un sujet de morale et un sujet de science politique. Au niveau du baccalauréat, il peut être traité sur la base de réflexions et d'exemples personnels. Dans un concours, il faudra veiller à bien traiter l'ensemble des domaines d'application : économique, culturel, social et politique, ce dernier étant le plus important pour les concours de Catégorie A. Parmi les phénomènes les plus importants qu'il vous faudra analyser, figurent évidemment la publicité et la propagande politique.

---

6 Devant le Conseil d'État, Bonaparte affirma un jour sa volonté de «jeter sur le sol de la France quelques masses de granit». Quelles ont été ces «masses de granit»?
Quel rôle ont-elles joué dans l'histoire politique, économique et sociale de la France? Qu'en reste-t-il?

Dans un concours de Catégorie A, on exigera normalement de vous à la fois de solides notions d'histoire politique, économique et sociale, et une bonne connaissance des institutions administratives, juridiques et politiques.

---

7 «On prétend souvent que les techniques modernes de diffusion de l'information et des idées contribuent à une regrettable uniformisation des individus, en «dépersonnalisant» la culture, en compromettant l'originalité et l'indépendance de la pensée. Que pensez-vous de cette façon de voir?»

Ce sujet présente deux centres d'intérêt essentiels, qui sont étroitement liés :
- L'individu face aux moyens de communication de masse,
- Le rôle culturel des mass media.

Il faudra veiller à bien définir chacun des termes pour le traiter de façon complète. Nous vous recommandons l'ouvrage de Louis Porcher, *Vers la dictature des média?* Collection Profil Actualité.

8 Retracez l'évolution des concepts de liberté et d'égalité dans l'opinion et dans les institutions françaises depuis le milieu du XVIIIe siècle.

Il sera intéressant de bien réfléchir aux notions de liberté et d'égalité. A cette occasion, nous vous recommandons d'effectuer une exégèse de la Déclaration des Droits de l'Homme et du Citoyen du 26 août 1789, et de vous interroger à la fois sur l'évolution des principes proclamés et sur les compléments qui y ont été apportés, notamment dans le domaine économique et social.

9 «Je déteste ce que tu dis, mais je me battrais pour que tu aies le droit de le dire.» - Commentez cette pensée de Voltaire en l'étayant au besoin d'exemples concrets.

Les exemples concrets constitueront la base de vos développements dans un concours de Catégorie B. En Catégorie A, il faudra savoir se hisser au niveau de la science politique.

10 L'évolution des faits politiques, économiques et sociaux depuis le milieu du XVIIIe siècle vous permet-elle de conclure à une transformation du rôle et de la structure de l'État ?

A rapprocher des sujets classiques sur l'évolution de «l'État gendarme» à «l'État providence».

11 Victor Hugo écrivait en 1862 : «Le travail ne peut être une loi sans être un droit.»
La Déclaration Universelle des Droits de l'Homme, proclamée en 1948 par l'Assemblée Générale de l'Organisation des Nations Unies, fait figurer le droit au travail parmi les droits de l'être humain.
Dans une étude de l'évolution générale des idées depuis la Révolution, vous montrerez comment la prise de conscience des droits sociaux est venue enrichir la notion traditionnelle de «Droits de l'Homme».

Sujet de Catégorie A, qui, pour être à un bon niveau, requiert de solides notions de droit et d'histoire (cf. les sujets n° 8 et 9).

12 L'émergence de la notion d'Europe.

Bien entendu, il ne faut pas vous limiter à une analyse historique lointaine. L'Europe doit encore lutter pour affirmer sa personnalité. Vous devrez donc présenter un bilan, et même des vues prospectives.

Il sera très important pour tous d'avoir bien réfléchi à l'importance de la dimension européenne et de la construction de l'Europe. Beaucoup de sujets doivent en effet être éclairés par la perspective européenne.

13 Quelle a été, à votre avis, l'influence de l'évolution de l'habitat et des conditions de vie sur le comportement social et civique des Français depuis le début du XXe siècle ?

Bon exemple de sujet de synthèse, faisant appel à une réflexion approfondie sur un ensemble de problèmes politiques, économiques et sociaux.

14 Les problèmes généraux de la démographie et de l'immigration en France depuis le début du XXe siècle.

En Catégorie B, ce sujet peut être traité grâce à vos souvenirs de géographie humaine, à l'histoire économique et sociale, ainsi qu'à l'actualité.

Dans un concours de Catégorie A de niveau élevé, le jury sera plus exigeant sur la connaissance de l'évolution générale et sur la profondeur de l'analyse des problèmes.

Nous vous recommandons l'ouvrage de M. Paul Paillat, *Problèmes démographiques d'aujourd'hui,* Collection Profil Actualité.

15 L'évolution des transports en France depuis le début du XXe siècle.

Sujet technique au premier abord, mais qui peut être traité par tous :
- Grâce à vos souvenirs de géographie et d'histoire économique et sociale,
- Grâce à votre connaissance de l'actualité.

Il faudra analyser notamment les problèmes :
- De la concurrence entre les divers modes de transports,
- De la crise de l'énergie,
- Des transports urbains.

16 Pensez-vous que l'évolution du monde moderne et notamment de la France justifie cette pensée de La Rochefoucauld : « Le luxe et la trop grande politesse dans les États sont le présage assuré de leur décadence, parce que tous les particuliers s'attachent à leurs intérêts propres, ils se détournent du bien public » ?

Ce sujet relève à la fois de la morale et de la science politique.

17 Des événements des dix dernières années, quel est celui qui vous paraît le plus notable sur le plan national ou international ? Justifiez votre choix.

Excellent exercice de réflexion personnelle, qui vous sera utile également en vue de l'épreuve orale de conversation, au cours de laquelle la même question peut vous être posée.

18 La place de la femme dans le monde contemporain.

Il s'agit manifestement d'un grand problème d'actualité - et qui le restera.

Voir, dans la Collection Profil, les ouvrages de Mme C. Menasseyre, *Les Françaises aujourd'hui* et *Le travail des femmes dans le monde,* ainsi que l'ouvrage de M.-M. Salort et J. Brémond, *La famille en question.*

---

19 Le travail, au XXe siècle, est-il une malédiction ou un moyen d'épanouissement individuel et collectif ?

Ce sujet fait appel à la fois :
- A une réflexion morale,
- A une analyse des grands problèmes économiques, sociaux et culturels.

Voir, dans la Collection Profil, l'ouvrage de R. Jammes et M.-C. Ferrandon, *La division du travail.*

---

20 Montrez, à travers des exemples tirés des événements politiques, économiques, sociaux ou culturels, quelle est l'influence de « l'opinion publique » sur la vie en France depuis la fin de la deuxième guerre mondiale.

Le jury attend certainement de vous à la fois un exposé des faits et un jugement de valeur.

Dans quelle mesure l'opinion publique exerce-t-elle une influence ? Cette influence est-elle, selon les cas, positive ou négative ?

---

21 La place de la sécurité dans la qualité de la vie.

La qualité de la vie est un thème très « à la mode ».

La sécurité est une préoccupation de plus en plus importante pour l'opinion comme pour les pouvoirs publics. D'où l'intérêt de ce sujet.

22 L'expérience montre que certains moments de l'histoire sont infiniment plus « porteurs d'avenir » que d'autres.
Pensez-vous que notre temps soit de ceux-là et, dans l'affirmative, quelles en sont les raisons ?

Nous profitons de ce sujet pour vous rappeler deux thèmes de réflexion intéressants :
- La place de l'Histoire dans la culture et la réflexion de l'homme moderne,
- La prévision ou la prospective (dans quelle mesure est-il possible de prévoir l'avenir de notre société ?).

23 Dans notre société contemporaine, quels peuvent ou doivent être les rapports entre le progrès scientifique et la morale ?

Sujet classique en philosophie au baccalauréat, mais qui appelle ici, outre une réflexion sur les principes, des illustrations et propositions concrètes.

5. Les administrations culturelles

Thème de réflexion :
Éléments pour une dissertation générale :
La politique d'action culturelle

• ÉLÉMENTS D'INTRODUCTION

- Définition des termes du sujet :
  La culture,
  La politique.

N'y a-t-il pas antinomie entre ces deux termes ?

Après avoir analysé cette question sur le plan des principes, vous pouvez montrer la nécessité d'une action culturelle des pouvoirs publics dans la société moderne.

- Quels sont les principaux facteurs de blocage du développement culturel dans notre pays ?

Point de départ : Le diagnostic effectué par la Commission des Affaires Culturelles du Plan.

Les rapports culturels de l'homme et de la société peuvent être considérés comme bloqués, en raison des facteurs suivants :

- Une organisation économique qui se développe de façon anarchique ou sans finalité d'organisation du cadre de vie,
- Un enseignement seulement considéré comme simple distribution de connaissances,
- Des moyens de communication de masse non maîtrisés à des fins de développement culturel.

N.B. En raison de son importance, l'analyse des facteurs de blocage pourrait constituer la première partie de vos développements.

- ÉLÉMENTS DE DÉVELOPPEMENTS SUR LES CONDITIONS GÉNÉRALES DE L'ACTION CULTURELLE
(se rattachant à l'analyse des facteurs de blocage)

La puissance publique doit satisfaire à une première obligation : responsable de ces trois domaines[1] fondamentaux de l'évolution économique et sociale de la société, elle doit empêcher qu'ils continuent de se poursuivre isolément et sans finalité interactive de développement culturel. Elle doit à de telles fins assurer leur coordination. Elle ne le pourra que dans le cadre d'une approche globale des phénomènes de déséquilibre qu'ils engendrent communément.

De plus, comme l'autonomie de la personne passe de plus en plus par tout ce qui affecte la relation de l'individu au savoir, au travail, aux loisirs, à l'habitat ainsi qu'à l'environnement social et politique, la politique culturelle de l'État ne peut plus être seulement de maintenance, d'encouragement aux arts ou de simple diffusion, elle doit être volontairement active, c'est-à-dire fournir aux hommes, à tous les niveaux de cette relation, l'occasion, les moyens de retrouver leur identité. C'est à une nouvelle «obligation de moyens» que se trouve confrontée la puissance publique.

Enfin, non seulement l'accès à la culture, considérée comme possibilité d'exercice de la liberté et de l'autonomie, est de plus en plus impliqué dans un ensemble de processus économiques et sociaux contraignants, mais les supports communautaires naturels d'expression de cette autonomie disparaissent. L'individu collectivisé est à la recherche de l'unité de sa personne et de sa possible expres-

1. Il s'agit des trois éléments énumérés dans la page précédente, l'organisation économique, l'enseignement, les moyens de communication de masse ou «mass media».

sion dans de nouvelles communautés. C'est à l'État qu'incombe le devoir de les promouvoir, puisqu'en définitive, c'est lui qui détient le pouvoir de défendre l'autonomie de la personne face à l'organisation et à l'uniformisation que développent ses ambitions industrielles et ses propres structures. A défaut de vouloir exercer ce pouvoir, il ne pourrait que continuer à osciller entre des attitudes passéistes (pour la masse, «du pain et des jeux»), ou autoritaires (l'ordre et la censure).

C'est donc à une politique générale d'action culturelle qu'est désormais contrainte la puissance publique.

• ANNONCE DU PLAN GÉNÉRAL

Cette politique, qui déborde les limites administratives et toute sectorialisation, est nouvelle. Il importe donc de préciser ce qui doit la caractériser aux niveaux de son élaboration et de sa mise en œuvre :

- A partir d'un projet culturel global, elle doit être élaborée de façon concertée et évolutive;
- Elle doit être mise en œuvre de façon pluraliste, décentralisée et contractuelle.

Ce plan a l'avantage de permettre une bonne articulation des développements autour de deux idées essentielles.

On peut aussi concevoir un plan en trois parties :

1. Les conditions générales de l'action culturelle.
2. L'élaboration d'une politique culturelle.
3. La mise en œuvre des actions culturelles.

Dans un concours de Catégorie A de niveau élevé, mais ceci est également vrai pour les concours de Catégorie B, la qualité des enchaînements logiques de vos développements revêt une grande importance. Elle doit se vérifier non seulement au niveau des articulations essentielles, mais encore à celui de chaque paragraphe.

Vous examinerez de près la rédaction des quatre pages suivantes.

1. L'élaboration de la politique d'action culturelle

1.1. Elle suppose un projet global.

1.2. Un tel projet ne peut résulter que d'une concertation permanente.

1.3. Enfin, cette politique devra être évolutive.

2. Une politique pluraliste, décentralisée et contractuelle

2.1. Elle devra être tout d'abord pluraliste, dans ses intentions comme dans ses moyens.

2.2. Au point de vue administratif, le pluralisme doit se traduire par la décentralisation.

2.3. La politique d'action culturelle doit être également contractuelle.

En conclusion, vous pourrez souligner une exigence générale, celle d'un esprit communautaire.

• DÉVELOPPEMENT

1. Une politique concertée et évolutive, à partir d'un projet culturel global

Compensatrice et réductrice des inégalités, et respectueuse des diversités, la politique d'action culturelle doit être une des dimensions de toute action sociale, et conduire l'ensemble des processus sociaux « vers la suscitation d'individus créateurs », vers la désaliénation. Elle est donc concernée par l'enseignement, la formation, l'information, le travail, le logement, le loisir, les revenus, l'urbanisme, le mode de vie, et elle concerne aussi bien la jeunesse et les adultes que le troisième âge. Elle suppose donc un projet global, du moins dans ses finalités et comme volonté d'accompagnement et d'inflexion éventuelle de ces processus.

Un tel projet ne peut donc dans sa conception résulter que d'une concertation permanente de tous les partenaires publics ou privés qui doivent y concourir, à commencer par ceux, publics, dont l'action s'exerce actuellement en ordre dispersé et dans l'émiettement de responsabilités spécifiques. Cette concertation ne doit pas être simplement affirmée comme un alibi, mais instituée comme une volonté politique. L'institution d'une instance de concertation est la première obligation de moyens à laquelle la puissance politique devra satisfaire.

Enfin, et toujours au niveau de son élaboration, cette politique devra être conçue comme évolutive, c'est-à-dire constamment alimentée par la recherche et l'expérience, et susceptible des permanentes adaptations qu'exigeront le progrès des techniques et l'initiative réinventée comme valeur sociale.

2. Une politique pluraliste, décentralisée et contractuelle

Pour être nécessaire, la concertation en vue d'un projet global constituerait un autre danger de massification et d'aliénation, si elle devait conduire dans sa mise en œuvre à la généralisation d'idéologies privilégiées ou de moyens imposés d'en haut par l'État ou des groupes de pression... même conseillés par des « sages ».

Pour qu'il ne puisse pas en être ainsi, elle devra donc être, tout d'abord, pluraliste dans ses intentions comme dans ses moyens.

Dans la société technicienne, l'aventure de la culture, et donc de la créativité, passe tout autant par les disciplines scientifiques que par les disciplines littéraires ou artistiques considérées jusqu'alors, avec effet récurrent, comme seules représentatives de la « société cultivée ». L'impossibilité de donner un statut « noble » à l'enseignement technique témoigne de ce fait.

Une politique d'action culturelle comme facteur de réinsertion de la personne dans un univers conditionnant ne peut donc être exclusive d'aucune discipline. Elle devra en outre «rendre la parole à la parole» : l'homme collectivisé par l'information et l'image éprouve le besoin de la discussion et de l'échange. Ce pourrait être la forme élevée du pluralisme des intentions que de «favoriser le débat» sans exclure aucun sujet, fût-il celui des «cultures régionales».

Dans sa traduction administrative, le pluralisme, ce doit être aussi la décentralisation des décisions comme élément indispensable d'un retour au réalisme, à la responsabilité, à l'initiative et à l'originalité, notamment au niveau des collectivités locales. Donner aux collectivités locales et à des associations d'usagers les moyens techniques et financiers de création comme de gestion des services collectifs constitue vraisemblablement le seul moyen de stimuler les initiatives et de provoquer une adéquation entre les ressources et les aspirations.

Pluraliste dans ses intentions et les moyens d'y satisfaire, et décentralisée dans sa mise en œuvre, la politique d'action culturelle doit être également contractuelle. Les supports communautaires nouveaux qu'elle requiert constitueront le plus souvent des équipements collectifs ou exigeront des moyens de fonctionnement dont, à l'évidence, la collectivité nationale devra, pour une part, assumer la charge nouvelle. L'État ne saurait engager les finances publiques qu'en conformité avec une ambition nationale contrôlée : il ne le pourra, aussi bien à l'égard des collectivités locales, des associations ou entreprises privées, que dans le cadre d'une politique contractuelle.

• CONCLUSION : UNE POLITIQUE COMMUNAUTAIRE

Il va sans dire que la politique d'action culturelle ainsi rapidement définie dans ses principes généraux doit à tous les niveaux s'accomplir dans un esprit communautaire. Les entreprises qu'elle suscitera ou les équipements qu'elle réclamera ne devront pas être octroyés, mais réalisés et conduits à l'initiative des usagers et avec eux ou par eux, compte tenu de leurs désirs au plan local. Ceci implique l'acceptation de l'originalité, de la polyvalence, de l'empirisme, et la renonciation à la «fonctionnarisation» de la culture et à la conception selon laquelle ses services publics seraient les bâtiments et pas les hommes.

Remarque : Ce texte très riche est extrait du rapport de la Commission des Affaires Culturelles du VIe Plan. Il vous semblera peut-être parfois abstrait. Dans ce cas, il faut le relire, en extraire les mots clés, et les expliciter. Il serait bon également de vous exercer à illustrer chacune des idées principales par des exemples choisis.

Concours de conseiller administratif des services universitaires[1]

Épreuve 1 - Composition sur un sujet se rapportant à l'évolution générale des idées et des faits de civilisation, en particulier depuis les transformations politiques, économiques et sociales nées du développement scientifique et technique. Durée : 4 heures - coefficient : 4
- Une documentation est fournie aux candidats.

Sujet du concours externe (1977)
Quels peuvent être, dans la France contemporaine, le sens et la portée d'une politique culturelle ?

Documents joints : 8
(La documentation qui est mise à la disposition des candidats n'a nullement la prétention de leur fournir toutes les données du problème à traiter mais seulement quelques indications de nature à faire naître la réflexion.

Les candidats sont libres de ne pas l'utiliser ou de ne l'utiliser que partiellement).

Document 1

Et où est la nourriture intellectuelle de toute cette foule ? Où est ce pain moral et quotidien des masses ? Nulle part. Un catéchisme ou des chansons, voilà leur régime. Quelques crimes sinistres, racontés en vers atroces, représentés en traits hideux et affichés avec un clou sur les murs de la chaumière ou de la mansarde, voilà leur bibliothèque, leur art, leur musée à eux ! ... Quel peuple voulez-vous qu'il sorte de là ?

A. de Lamartine, *Lettre à M. de Chapuys-Montlaville* (1842).

Document 2

Il y a quelque chose de pire que d'avoir une mauvaise pensée. C'est d'avoir une pensée toute faite. Il y a quelque chose de pire que d'avoir une mauvaise âme et même de se faire une mauvaise âme. C'est d'avoir une âme toute faite. Il y a quelque chose de pire que d'avoir une âme perverse. C'est d'avoir une âme habituée.

Charles Péguy, *Note conjointe sur M. Descartes et la philosophie cartésienne* (1914).

1. Nouvelle dénomination depuis septembre 1979 : Conseiller d'administration scolaire et universitaire (même sigle C.A.S.U.).

Document 3

- Pourtant, leur dit Pélo un jour, tu vois bien qu'ils ont monté une Université populaire... (avant 1914)...
Le Braz éclata de rire.
- Oui, j'y suis allé, dit-il...
Il y avait dans sa parole et dans son rire quelque chose d'amer, comme le souvenir d'une offense ou d'une sottise.
- Qu'est-ce que tu veux que les ouvriers aillent s'intéresser à des conférences sur le costume des femmes, sur l'éducation anglaise ou sur l'Indochine ? C'est ça qu'ils appellent éduquer le peuple...
Pélo ne répondit pas.
- Ils ne nous connaissent pas, reprit Le Braz... Et puis ils veulent nous flatter et se servir de nous.

Louis Guilloux, *La Maison du Peuple* (1953).

Document 4

Nous voudrions qu'après quelques années une maison d'école au moins dans chaque ville ou village soit devenue une « Maison de la Culture », une « Maison de la Jeune France », un « Foyer de la Nation »... où les hommes ne cesseront plus d'aller, sûrs d'y trouver un cinéma, des spectacles, une bibliothèque, des journaux, des revues, des livres, de la joie et de la lumière.

Cette Maison serait en même temps une Maison des Jeunes. C'est eux qu'il faut servir d'abord, lancer vivement dans la vie pour qu'ils ne vieillissent pas et ne s'endorment pas trop tôt...

Circulaire du 13 novembre 1944 (Direction des Mouvements de jeunesse et d'éducation populaire).

Document 5

Car chaque jour apparaît davantage l'incapacité de la civilisation moderne à donner des formes à des valeurs spirituelles. Même en passant par Rome. Là où surgit jadis la cathédrale, se construisent misérablement l'église pseudo-romane, l'église pseudo-gothique, et l'église moderne d'où le Christ est absent. Reste la messe dite sur la montagne, dont l'Église a vite compris l'équivoque et le danger : la messe, à notre époque, a trouvé le seul cadre digne d'elle dans les barbelés des camps.

André Malraux, *Les voix du silence* (1951).

Document 6

Les intellectuels rejettent la culture de masse dans les enfers infraculturels...

... Cette culture, ce ne sont pas les intellectuels qui l'ont faite ; les premiers auteurs de films étaient des forains, des amuseurs de baraques ; les journaux se sont développés hors des sphères glorieuses de la création littéraire ; radio et télévision ont été le refuge des journalistes ou comédiens ratés.

... L'intelligentsia littéraire est dépossédée par l'avènement d'un monde culturel où la création est désacralisée, disloquée...

... Le produit culturel est étroitement déterminé par son caractère industriel d'une part, son caractère de consommation quotidienne de l'autre, sans pouvoir émarger à l'autonomie esthétique. Il n'est pas policé, ni filtré, ni structuré par l'art, valeur suprême de la culture des cultivés.

Edgar Morin, *L'esprit du temps,* I (1962).

Document 7

La campagne d'adhésions à la maison de la culture est ouverte depuis trois semaines. Nous comptons déjà 1 800 adhésions. La carte est à 15 francs. Celui qui l'achète fait déjà un effort. Et je crois que c'est cela qui compte, car le contact avec l'œuvre d'art implique toujours un effort, aussi bien moral que matériel. Mais il n'y aura jamais qu'une minorité de gens disposés à le faire. C'est pour eux que nous travaillons.

Jo Trehard, Directeur de la première Maison de la Culture, à Caen.
Interview dans *l'Éducation Nationale,* N° 16, 2.5.1963.

Document 8

La culture est une dimension essentielle de la société française et, peut-être, la plus importante de toutes. Nous devons avoir une politique culturelle ambitieuse. Elle doit favoriser la conservation d'un patrimoine qui est un des plus précieux du monde et l'épanouissement de notre capacité individuelle et collective de création. Tous les Français doivent pouvoir accéder aux plus grandes œuvres et maîtriser eux-mêmes un moyen d'expression culturelle. Ceci suppose un effort dans deux directions : une très large décentralisation des activités culturelles et la volonté de la collectivité de consacrer des moyens suffisants.

Déclaration de M. Valéry Giscard d'Estaing,
Président de la République, au Conseil des Ministres du 12.1.1977.

6. Les services économiques et financiers

Quelques conseils pour étudier les questions économiques et financières

(dans l'optique des épreuves générales)

• L'économie politique est, directement ou indirectement, une des matières fondamentales de la plupart des Concours administratifs de Catégorie A. En ce qui concerne les concours des Ministères financiers, la dissertation porte généralement sur des questions économiques ou sociales.

Des connaissances solides en économie politique vous permettront d'illustrer et de renforcer votre argumentation sur une forte proportion des questions posées.

Il vous faudra aussi *suivre l'actualité économique,* dans la presse quotidienne, hebdomadaire et mensuelle (et, si besoin est, dans la presse spécialisée).

• Il importe de réfléchir à la fois sur la nécessité et sur le bon usage des connaissances économiques dans le monde moderne. La formation économique du citoyen lui donne des arguments pour se conduire en homme libre, pour se dégager des slogans.

Le même principe s'applique évidemment pour le consommateur. Quant au fonctionnaire, il importe qu'il connaisse bien les rouages essentiels de l'économie.

Si vous vous destinez à une administration économique et financière, vous devrez évidemment étudier ce domaine de façon approfondie.

Si vous vous destinez à l'Administration générale ou à une administration sociale, vous utiliserez avec profit la technique du «*thème-carrefour*». Vous réfléchirez sur les thèmes étudiés afin de mettre en évidence les liens qui sont établis entre eux, et qui n'apparaissent pas toujours très nettement au premier examen.

• L'économie politique est une science de synthèse. Aucun de ses éléments n'est indifférent aux autres, les répercussions sont multiples bien que parfois cachées; l'économie est un tout «vivant», c'est-à-dire que tout changement survenant dans un secteur a des conséquences multiples dans des domaines variés (réfléchissez, par exemple, aux liens existant entre l'investissement, l'emploi, la production et la consommation).

Les lois ne sont souvent que des approximations statistiques ou des abstractions théoriques. Les relations qui s'établissent entre les notions fondamentales peuvent facilement s'inverser sous l'influence de causes différentes.

C'est donc à la fois une matière particulièrement intéressante mais également particulièrement difficile, où vos affirmations pourront être plus que dans d'autres domaines critiquées par le correcteur si elles manquent de cohérence.

L'économie est liée très étroitement à d'autres matières techniques comme la démographie, le droit public, les finances publiques, le droit social...

C'est cet aspect «carrefour» qui devra être mis en valeur pour traiter un sujet à dominante économique posé dans le cadre des épreuves de culture générale.

• Nous vous incitons en conséquence à compléter votre formation économique par l'étude des thèmes qui font appel à l'économie et à d'autres matières.

Deux exemples seront développés : finances publiques et politique économique; droit public et économie.

Pour chacun d'eux, après avoir explicité le thème, nous présenterons une liste de notions clés pouvant donner naissance à des sujets, et des indications bibliographiques.

Le rôle de l'État dans le domaine budgétaire et dans le domaine fiscal

Votre réflexion doit être conduite sur deux plans :

- Le premier, à caractère plus technique, à savoir le rôle du budget et de la fiscalité en tant qu'instruments de politique économique,
- Le second, à caractère plus politique, à savoir les relations entre ces phénomènes et l'évolution générale de la société.

Par le jeu de ses recettes, notamment de la fiscalité, et de ses dépenses, le budget de l'État est l'acteur principal de l'économie.

Peut-il freiner efficacement l'inflation ? Peut-il maintenir ou réorienter la croissance ? Peut-il être un instrument de justice sociale ? Dans quelle mesure est-il un reflet de nos structures politiques ? Peut-il contribuer à leur évolution ?

Qui décide de ses orientations ? Les Ministères de l'Économie et du Budget, le Premier Ministre, le Président, le Parlement ?

Le choix est-il entre un budget « scientifique » ou « technocratique » et un budget « démocratique » ?

Notions clés pouvant donner lieu à des sujets

- Budget et politique
- Budget et administration
- Budget et économie
- Le budget et le Plan
- Le budget social de la nation
- Budget de l'État et budget du citoyen
- Les aspects sociaux de la politique fiscale
- La préparation et la structure du budget :
    - Aspects économiques
    - Aspects politiques
    - Aspects sociaux

- Le système fiscal français est-il favorable à l'expansion économique ?
- Le système fiscal français est-il favorable à la justice sociale ?
- Les perspectives de réforme du système fiscal français.

Quelques ouvrages classiques

Voici d'abord deux petits ouvrages classiques de la collection « Que sais-je ? » (Presses universitaires de France) :
- *Le budget de l'État,* par Jean-Marie Cotteret et Claude Émeri,
- *Les finances publiques,* par Maurice Duverger.

Nous vous recommandons également deux excellents ouvrages parus aux Éditions du Seuil sous le pseudonyme évocateur de Jean Rivoli :
- *Le budget de l'État,* collection Points, série E, économie,
- *Vive l'impôt,* collection Société.

Voici enfin des ouvrages universitaires :
- *Éléments de fiscalité* et *Finances publiques,* par Maurice Duverger (collection Thémis, aux Presses universitaires de France).
- *Les finances publiques,* par Pierre Lalumière, collection U, éditions Armand Colin.

Ouvrages de la collection Profil

Le système monétaire international, par P. Olivier.
Comprendre les problèmes monétaires, par J. Brémond.
A quoi servent les impôts, par B. Magliulo.

Thème carrefour : Droit public et Économie

Ce thème complète et élargit le précédent. L'État n'agit pas sur le plan économique seulement par son budget. Il dispose d'autres moyens pour infléchir le comportement économique (réglementation, politique monétaire...), mettant en œuvre ses prérogatives de puissance publique

Par ailleurs, les collectivités publiques territoriales, départements et communes, les établissements publics ou les entreprises publiques sont des acteurs économiques essentiels.

Or ces différentes institutions relèvent généralement du droit public.

Notions clés pouvant donner naissance à des sujets

- De l'intervention des personnes publiques dans la vie économique et sociale en France (sujet déjà donné au concours d'Attaché d'Administration centrale)

- Le droit public économique
- L'organisation générale de l'État en matière économique
- Le Parlement et l'Économie

- L'administration économique
- L'Administration et l'économie

- Le principe de la liberté du commerce et de l'industrie
- Le principe d'égalité en matière économique

- La démocratie économique
- Les nationalisations
- La planification

- Le droit public du Plan de développement économique et social
- Les institutions et l'aménagement du territoire

- L'Administration et les entreprises
- L'interventionnisme économique

- Les entreprises publiques
- Les sociétés d'économie mixte
- L'évolution générale des services publics.

Quelques ouvrages classiques

Nous vous recommandons deux ouvrages universitaires classiques :

- *Droit public économique,* par André de Laubadère (précis Dalloz).
- *Grands services publics et entreprises nationales,* par Jean-Marie Auby et Robert Ducos-Ader (collection Thémis, aux Presses universitaires de France).

Ouvrages de la collection Profil

Les planifications économiques, par J. Brémond et C. Lidsky.
Les nationalisations, par J. Brémond.

Thème de réflexion :
L'économie française face au Marché Commun
Historique et bilan. Perspectives

• Nous vous présentons une composition sur un vaste sujet de synthèse, qui fait appel à des notions très diverses :
- Histoire et science politique,
- Économie politique (ou politique économique),
- Géographie humaine et économique,
- Relations internationales.

Ce document peut constituer un modèle de dissertation de bon niveau en catégorie A. Il vous montre comment assembler des connaissances diverses pour composer une copie solide et bien équilibrée. Il vaut, plus encore, par un effort de réflexion sur les questions économiques fondamentales. A ce titre, il vous sera utile pour bien situer et illustrer beaucoup de sujets portant sur les questions économiques, sociales et internationales.

• Ce sujet doit vous permettre d'aborder les problèmes fondamentaux de l'économie française, en les situant dans une perspective européenne[1].

Vous pouvez vous interroger notamment sur les points suivants :
- Justification de la construction du Marché Commun.
- Situation de la France face à ses partenaires à l'aube du Marché Commun (1957-1958).
- Bilan de deux décennies.
- Efforts à fournir par la France et ses entreprises.

1. Nous vous rappelons que, de façon générale, il est bon d'illustrer la dimension européenne des problèmes étudiés, qu'ils soient d'ordre politique, économique ou social.

Cela peut être fait, à votre choix :
- Soit dans l'introduction (situation du problème).
- Soit au cours de vos développements (rédaction de divers paragraphes comparatifs, voire d'une sous-partie ou d'une partie entière).
- Soit en conclusion (perspectives européennes).

Au cas où vous ne disposeriez pas d'éléments d'information économique suffisants, vous pouvez vous référer à votre expérience personnelle (de consommateur ou de touriste, par exemple), et, éventuellement, exposer ce que représente pour vous la construction européenne. Ceci est acceptable dans un concours de catégorie B.

S'il s'agit d'un concours de catégorie A, on exigera évidemment de vous de bonnes connaissances dans le domaine économique. Plus le niveau du concours sera élevé, et plus vous devrez faire preuve d'une bonne maîtrise en la matière.

Éléments d'introduction

Rien n'apparaît plus logique aujourd'hui que la constitution d'un Marché Commun européen, entre des pays voisins et étroitement liés comme la France, l'Allemagne, l'Italie, les Pays-Bas, la Belgique, le Luxembourg et d'autres qui sont venus ou viendront probablement s'y associer. Encore fallait-il que l'établissement du Marché Commun répondît pour tous ces pays à des impératifs incontestables, et que leur situation économique rendît possible ce qui apparaissait nécessaire. Ce problème était particulièrement grave pour l'économie française, accoutumée à une longue tradition de protectionnisme.

A cet égard, de l'analyse de la situation en 1956-1957, de l'évolution suivie depuis 1958 et des perspectives à moyen terme, il ressort que, après avoir redouté l'ouverture des frontières, l'économie française a, certes, su s'adapter au Marché Commun, mais doit encore fournir des efforts considérables pour y consolider sa position dans les prochaines années.

Il convient donc d'examiner successivement la situation de l'économie française face à ses partenaires, puis le bilan du Marché Commun, enfin les perspectives de notre avenir économique.

Conseils pour le plan

Lorsqu'un sujet est ainsi présenté, le plus simple est de vous en tenir à ces trois parties :
- Historique,
- Bilan,
- Perspectives.

Vous pouvez, certes, chercher un plan plus original, mais c'est au risque d'avoir à produire des développements artificiels.

A titre d'exercice personnel, vous pouvez essayer de bâtir un plan en deux parties sur l'opposition entre les forces et les faiblesses de l'économie française (en utilisant vos souvenirs de géographie économique, ainsi que votre connaissance de l'actualité).

1. La France face au Marché Commun

L'économie française redoutait l'ouverture des frontières : potentiellement moins forte que celle de l'Allemagne, elle semblait affligée de handicaps considérables par rapport à ses cinq partenaires.

Aussi, lorsque le Traité de Rome a été signé (le 25 mars 1957), beaucoup doutaient de sa capacité à affronter la concurrence. On se souvient en particulier des craintes exprimées dans les milieux industriels, ainsi que des objections exposées au cours des débats de ratification. On avait exprimé l'opinion qu'il fallait « construire d'abord les fondations sur lesquelles l'édifice aurait pu être bâti sans danger ». Autrement dit, il aurait fallu assainir l'économie française avant de la plonger dans la concurrence européenne.

Face à ses partenaires, la France apparaissait comme un pays plein de contradictions, capable de performances remarquables, mais dont l'économie présentait certaines déficiences graves.

Depuis la fin de la Seconde guerre mondiale, la France a bénéficié d'un remarquable essor démographique. Mais l'héritage de la stagnation antérieure était très lourd. Il se traduit par une densité qui est de loin la plus faible de l'Europe des Six, par l'importance des classes d'âge inactif (moins de quinze ans et plus de soixante-cinq ans), et par un pourcentage limité de la population urbaine dans la population totale.

On avait beaucoup parlé et on parle encore des charges qui grevaient les prix de revient de l'économie française. Il s'agissait, d'une part, de charges générales pesant sur l'économie, telles que les dépenses militaires et l'aide aux pays d'Outre-mer, et, d'autre part, des charges sociales et fiscales pesant directement sur les entreprises. En fait, cette inégalité n'était pas un handicap sérieux, car les charges globales étaient approximativement les mêmes dans tous les pays de la Communauté.

Plus inquiétantes étaient les déficiences graves que présentait l'économie française dans le domaine des prix, de la monnaie et de la balance des paiements, et ses faiblesses structurelles, la plus grave étant sans doute l'insuffisante concentration des entreprises dans tous les domaines, agricole, industriel et tertiaire.

Il faut également citer le « complexe d'infériorité » dont semblaient souffrir les entrepreneurs français qui, pour la majeure partie, avaient peur de la libération des échanges et du Marché Commun, et n'osaient pas se lancer à la conquête des marchés étrangers, quoique certaines entreprises, à la pointe du progrès technique, y aient remporté des succès remarquables.

Pendant longtemps, vivant presque en autarcie, l'économie française avait pu s'accommoder de ses défauts. Mais l'ouverture des frontières, en accroissant la concurrence, les rendait désormais insupportables. Il fallait donc s'adapter ou périr. C'est pourquoi les rédacteurs du Traité de Rome ont mis tant de soin, dans la rédaction des textes, à prévoir des mécanismes correctifs en cas de difficultés. Pour le reste, ils ont fait confiance au dynamisme des producteurs français et au stimulant de la concurrence. L'expérience a montré que leur pari était raisonnable.

2. Le bilan de vingt ans d'efforts

La signature du Traité de Rome impliquait une somme énorme d'efforts et de contraintes pour l'économie française. Au bout de vingt années, les résultats apparaissaient satisfaisants dans le domaine de la croissance, et même brillants dans celui des échanges extérieurs, d'autant plus que l'ouverture des frontières s'était réalisée de façon accélérée. Mais l'évolution récente a prouvé que l'économie française reste encore fragile.

La période du désarmement douanier a correspondu, pour sa première étape, au IIIe Plan français de développement économique et social (du 1er janvier 1958 au 31 décembre 1961), et au IVe Plan pour sa seconde étape (du 1er janvier 1962 au 31 décembre 1965); la dernière étape s'est achevée au milieu du Ve Plan (1er juillet 1968). Le IIIe Plan fut marqué par le rétablissement de l'équilibre économique en 1958-1959, et par une expansion rapide en 1960 et 1961. La période du IVe Plan a été marquée par trois grands facteurs de transformation : l'achèvement de la décolonisation, la montée d'une jeunesse plus nombreuse et l'ouverture même de notre économie sur le monde. Le développement des échanges avec nos partenaires s'accéléra, et d'heureux résultats furent obtenus grâce à la volonté des pouvoirs publics, à l'effort de tous les producteurs et à l'efficacité des mécanismes communautaires. Le Ve Plan (1966-1970), puis le VIe (1971-1975) devaient être consacrés essentiellement au renforcement de nos structures industrielles.

Mais les événements de 1968 et 1969 ont montré que les structures économiques françaises restent fragiles. Il a fallu procéder à une nouvelle dévaluation et mettre en œuvre un plan de redressement. Un choc encore plus rude fut porté à notre pays par la crise énergétique, puis la crise monétaire de 1974-1975. Le VIIe Plan (1976-1980) doit donc être consacré à l'adaptation de notre économie à des circonstances plus difficiles.

Au cours des prochaines années, la compétition est appelée à devenir totale entre les pays du Marché Commun. De plus, la réalisation de l'union douanière entraîne, pour la France, non seulement la suppression de tous les droits de douane pour les échanges à l'intérieur de la Communauté, mais encore une importante réduction de la protection douanière à l'égard des pays tiers, en raison de l'adoption d'un tarif douanier commun de caractère très modéré, d'ailleurs réduit depuis de façon considérable à l'issue de négociations entre pays développés ou dans le but de consentir des avantages particuliers aux pays en voie de développement.

Dans ce monde où la compétition sera de plus en plus vive, la France ne pourra maintenir son rang que si elle sait adapter son appareil de production et écarter les déséquilibres qui menacent son économie dans le domaine de la monnaie, des prix, des échanges extérieurs, des investissements et de l'emploi. Il serait évidemment illusoire d'espérer trouver à tous les problèmes ainsi posés des solutions sur le seul plan national : il faudra chercher avec tous nos partenaires, et spécialement ceux de la Communauté européenne, des accords qui ne supprimeraient pas les concurrences stimulantes, mais qui se placeraient dans le domaine des décisions de longue portée et permettraient un progrès général des structures économiques

N.B. Les éléments chronologiques cités ci-dessus ne sont pas indispensables. Il s'agit, certes, de dates charnières. Mais il ne faut les citer que si vous êtes sûrs de vos références.

3. Les efforts à poursuivre

Les Plans précédents avaient bien défini les actions à entreprendre d'une part pour assurer les conditions de l'expansion, d'autre part pour répondre à l'impératif essentiel qui s'impose à l'économie française face au Marché Commun, à savoir le renforcement de ses structures industrielles. Même si ces Plans ont été remis en question dans leur exécution, les principes qu'ils ont posés restent parfaitement valables, et les efforts à entreprendre ne s'imposeront désormais qu'avec plus de vigueur.

Les quatre conditions fondamentales de l'expansion sont les suivantes : investir davantage et développer l'épargne; développer l'innovation scientifique et technique en intensifiant l'effort consacré à la recherche sous toutes ses formes; pratiquer une politique active de l'emploi et de la formation professionnelle; promouvoir une politique d'exportation plus efficace.

Le premier objectif fixé à l'industrie française est donc de renforcer sa position compétitive à l'échelle européenne et mondiale, ce qui suppose qu'elle soit en même temps innovatrice, productive, exportatrice et rentable :
- Innovatrice, car le progrès technique est de plus en plus le facteur décisif pour le développement de la capacité compétitive, au fur et à mesure que s'accroissent le niveau de vie, et donc le coût de la main-d'œuvre.
- Productive, car le prix de revient est un élément déterminant dans la concurrence internationale.
- Exportatrice, non seulement parce qu'il nous faut payer des importations, en accroissement rapide, et notamment les importations de produits énergétiques devenues très onéreuses, mais encore parce que l'exportation est une nécessité pour les entreprises qui, si elles veulent produire à l'échelle mondiale, devraient considérer le marché européen comme un marché intérieur, et le marché américain comme le marché test de leur efficacité.

- Rentable, enfin, parce que le profit mesure la réussite, et que les marges bénéficiaires suffisantes sont la condition aussi bien de l'autofinancement que de l'appel aux marchés des capitaux, nécessaires au financement des investissements.

Dans quel sens l'industrie française doit-elle se transformer pour atteindre cet objectif ? La première constatation que l'on peut faire est que, dans la plupart des secteurs, l'industrie est moins développée que celle des plus grands pays industriels. De plus, elle n'apparaît ni assez spécialisée au niveau des branches, ni assez polyvalente au niveau des grandes entreprises. Ces faiblesses de structure paraissent en grande partie la cause d'autres faiblesses constatées dans le domaine des moyens financiers, de la recherche et des réseaux commerciaux.

Le Plan a proposé en conséquence comme objectif la constitution ou le renforcement, lorsqu'ils existent déjà, d'un petit nombre de grandes entreprises ou de groupes de taille internationale capables d'affronter les groupes étrangers dans les domaines où s'établit la concurrence. Dans la plupart des secteurs clés de l'industrie, le nombre de ces groupes devrait être très limité, souvent même réduit à un ou deux.

Cependant la concentration n'implique pas nécessairement le regroupement des entreprises, mais aussi bien le regroupement de leurs moyens. Si des fusions sont souvent indispensables, le champ d'activité ouvert aux entreprises petites et moyennes demeure considérable, pourvu qu'elles fassent les efforts requis de progrès technique et de spécialisation. Cette concentration des moyens doit être poursuivie avec vigueur dans l'ensemble des secteurs industriels, à la fois sur le plan national et sur le plan européen.

Si le bilan des conséquences pratiques du Marché Commun pour l'économie française est incontestablement positif, de nombreuses incertitudes subsistent. Elles tiennent à l'inégalité des charges et des efforts à fournir, à l'accroissement même de l'interdépendance des économies, et à l'insuffisance de la définition du destin du Marché Commun.

En définitive, les conséquences pratiques du Marché Commun pour l'économie française ne seront pleinement favorables que si tout est fait sur le plan national pour accroître les possibilités de nos entreprises dans la compétition internationale, et, sur le plan communautaire, pour accélérer la mise en œuvre des politiques communes. Le développement de la coopération et de l'intégration s'impose plus que jamais pour faire face à la crise économique et pour garantir le progrès.

Concours externe pour le recrutement d'élèves administrateurs de l'I.N.S.E.E.

Concours d'entrée à l'École nationale de la statistique et de l'administration économique - Option Économie

Composition d'ordre général - Durée : 4 heures

- **Sujet du concours (1978)**

Quelles réflexions sur les obligations qu'impose une société moderne vous inspire la phrase suivante prononcée à l'époque contemporaine par un membre de la Cour suprême des États-Unis : « Les impôts sont ce que nous payons pour une société civilisée » ?

Nous vous recommandons les ouvrages suivants de la collection Profil :

- *Les salaires et autres revenus.*
- *La réduction des inégalités.*
- *Le socialisme suédois.*
- *A quoi servent les impôts ?*

Concours de commissaire stagiaire de la concurrence et des prix[1]

Composition sur un sujet d'ordre général relatif aux problèmes politiques, économiques, financiers ou sociaux du monde contemporain.

1 Indiquer quelle doit être la véritable finalité de l'aide au Tiers Monde et les moyens qui vous paraissent les mieux appropriés pour y parvenir.

2 L'urbanisation rapide qu'a connue notre pays au cours des vingt dernières années vous semble-t-elle s'être réalisée dans des conditions favorables à l'épanouissement individuel de ses habitants ?

3 La lutte contre l'inflation vous paraît-elle pouvoir être menée efficacement sans qu'il soit porté atteinte au niveau de l'emploi ?

4 Une politique économique nationale a-t-elle encore un sens, compte tenu de l'intégration de l'économie française dans l'ensemble du monde occidental et notamment dans la Communauté Économique Européenne ?

5 Peut-on concevoir une répartition internationale du travail telle que les pays développés à haut niveau de technologie et de recherche se spécialisent dans des produits élaborés notamment des biens d'équipement tandis que seraient progressivement transférées aux pays en voie de développement les industries exigeantes en main-d'œuvre comme le textile, la chaussure puis la sidérugie et même un jour l'automobile ?

1. Nouvelle dénomination : Commissaire de la concurrence et de la consommation.

Concours d'adjoint de direction à la Banque de France

1 Estimez-vous que la distinction entre inflation par les coûts et inflation par la demande suffise à donner une idée claire des pressions qui s'exercent sur le niveau des prix?

Compte tenu des conclusions auxquelles vous parviendrez, quels moyens préconisez-vous pour tenter de préserver la stabilité de la monnaie?

2 L'opinion est souvent exprimée que les Français n'établissent pas suffisamment le lien entre les objectifs qu'ils estiment souhaitables, tant sur le plan national que sur le plan régional ou local, et les moyens de financement nécessaires pour les atteindre.

Dans la mesure où cette opinion vous paraîtrait justifiée, exposez les causes de ce comportement et ses conséquences sur la formation des équilibres de l'économie.

En fonction de l'analyse à laquelle vous aurez procédé, auriez-vous des propositions à formuler en vue d'améliorer les conditions dans lesquelles sont assurés les financements?

3 Quelles sont les fonctions d'une banque centrale moderne? L'évolution enregistrée dans les moyens d'action de la Banque de France depuis sa nationalisation lui permet-elle, à votre avis, d'exercer ce rôle?

4 Comment expliquez-vous la place prépondérante accordée à la politique monétaire dans l'effort actuellement entrepris en France pour rétablir les équilibres économiques fondamentaux? Cette importance vous paraît-elle entièrement justifiée?

5 Un ralentissement de la croissance économique vous paraît-il constituer un objectif souhaitable dans les pays industrialisés?

Ce but pourrait-il être atteint sans tensions ni réformes de structure?

6 Dans quelle mesure l'inflation vous paraît-elle être un phénomène de civilisation?

7. La Sécurité Sociale

Nous vous présentons d'abord le texte d'une *bonne copie du concours de l'année 1978* sur le thème de la sécurité.

Vous lirez ensuite la liste complète des sujets du concours d'entrée au Centre National d'Études Supérieures de la Sécurité Sociale, établissement qui forme les cadres supérieurs de la Sécurité Sociale.

La revendication de la sécurité vous paraît-elle conciliable avec l'aspiration à la liberté ?

Au lendemain des événements de mai 1968, André Malraux avait déjà parlé d'une crise de civilisation; à l'époque, la formule fut quelque peu critiquée, beaucoup n'y voyant que l'expression d'un intellectuel. Cependant la crise économique qui a secoué, dans les années 70, tous les pays du monde capitaliste et une partie des pays à structure socialiste confirma ce diagnostic : le monde était bien en proie à un puissant désarroi moral. La forte croissance économique, qui avait pris naissance après la deuxième guerre mondiale, permit de résoudre un certain nombre de problèmes et de déboucher sur une meilleure qualité de la vie; mais elle n'en avait pas moins soulevé de redoutables problèmes, une course effrénée vers l'acquisition de biens matériels avait éloigné l'homme d'un certain nombre de valeurs morales. Au prix de la richesse, il a restreint sa liberté, oubliant le message que lui avait laissé Karl Jaspers : « être homme, c'est être libre. Le sens de l'histoire c'est que nous devenions vraiment des hommes ».

Cependant les procès récents faits à certains intellectuels, qualifiés pour la circonstance de dissidents, montrent bien que le phénomène est aujourd'hui universel puisqu'il atteint les pays socialistes. Ces sociétés, dont la mission essentielle consiste à assurer une meilleure protection à chaque individu, connaissent le refus d'une trop grande sécurité. Au siècle dernier, Gambetta n'avait-il pas mis ses concitoyens en garde devant un tel danger en proclamant : « La démocratie, c'est le remède du socialisme » ?

Face aux bouleversements socio-économiques, l'homme moderne aspire à une plus grande sécurité. Mais pour déjouer le piège « contrainte-liberté », la voie à suivre paraît étroite.

Jusqu'à une date récente, la famille a constitué la cellule de base où chacun puisait sa sécurité. Le chef jouissait d'une sécurité incontestée qui lui donnait par là même une très grande autorité. La ruse, la force et souvent la chance lui avaient permis d'acquérir un grand âge en déjouant tous les pièges de l'existence ; les valeurs acquises n'étant nullement remises en cause, son savoir ne pouvait que s'étendre.

Cette sagesse, au sens étymologique du terme, s'avérait un guide pour une structure familiale très souvent élargie : c'était le règne du « pater familias » où les jeunes, notamment les hommes, devaient obéissance et travail. D'ailleurs les jeunes, comme l'a bien montré Philippe Ariès, n'avaient pas de place à part, ils faisaient partie intégrante de la famille. La vie se déroulait sous un toit, aussi la sécurité tant recherchée de nos jours ne se posait-elle pas, l'entraide était permanente, les forts protégeant les faibles, les actifs subvenant aux besoins des inactifs. Par ailleurs, cette cellule familiale ne pouvait guère voir ses valeurs morales remises en cause puisque l'autonomie y était la règle.

Or ce type de société continue, de nos jours, à exister ; la tribu africaine, centrée autour d'un chef puissant, perpétue cette sécurité qui fait tant défaut aux sociétés industrielles. Mais les bouleversements socio-économiques ont fait éclater les structures traditionnelles. Dans un monde en perpétuelle évolution, le savoir acquis se dévalue très rapidement, il en résulte une remise en cause permanente, d'autant plus importante que l'âge avance : le sage est contesté, le mythe de la jeunesse et de l'innovation prend une place considérable. Devant cette accélération de l'histoire, comme l'a si bien qualifiée Daniel Halévy, la connaissance scientifique est assimilée au contenu du code moral, le doute s'installe, les valeurs sûres font défaut.

Sur le plan de l'urbanisation, on est passé d'un type d'habitat horizontal à un autre type vertical cette fois-ci, qui débouche sur un manque de communications et la création de groupuscules de pression : à l'insécurité morale s'ajoute l'insécurité physique.

Aussi, devant la perte de tant de valeurs, l'homme moderne aspire-t-il à une plus grande sécurité. Dans ce siècle iconoclaste, comme l'avait prédit Nietzsche, il convient de retrouver son identité. Agressé par un monde extérieur hostile, l'homme a recherché une plus grande sécurité en se regroupant ; aussi les premières réalisations dans ce domaine ont-elles été le fait de groupements socio-professionnels puissamment organisés : l'exemple type paraît être celui des mineurs, à la fin du siècle dernier, qui ont imposé une législation pour la protection contre les accidents du travail. Déjà, en 1863, Durkheim avait montré, dans son ouvrage *De la division du travail social,* toute l'importance qu'il convenait d'attacher aux groupes sociaux : la sécurité devait résulter de la solidarité. Les grandes libertés fondamentales ont construit les fondements de la sécurité collective avant le début de ce siècle, aussi l'homme revendique-t-il pour une plus grande sécurité dans sa vie de tous les jours, droit à la santé, choix du volume de la famille par la contraception, amélioration des conditions de travail... Mais cette recherche aboutit de nos jours à une impasse.

Il convient de déjouer très rapidement ce piège « contrainte-liberté ». Mais pour cela la voie à suivre paraît étroite. En effet, dans une course incessante à la sécurité, l'homme y a perdu son identité car il a accepté trop de contraintes pour avoir plus de libertés. Ivan Illich nous avait pourtant bien mis en garde contre le danger d'institutionnalisation qui conduit à un mécanisme sur lequel l'homme n'a désormais plus de prise, car la sécurité nécessite obligatoirement une parfaite organisation qui à son tour entraîne des contraintes pour le groupe : c'est tout le débat actuel « liberté collective - liberté individuelle ». Boris Vian avait quant à lui tranché lorsqu'il écrivait : « Je préfère le bonheur de chacun au bonheur de tous. » Une trop grande socialisation, en fixant les normes et la règle du jeu, débouche sur le conformisme social et conduit, comme le décrit Huxley, à des individus stéréotypés, totalement passifs, attendant que l'État prenne en charge tous leurs problèmes : la sécurité doit-elle être à ce prix ? Par ailleurs, cette revendication de la sécurité ne pouvant être que le fait de groupes organisés, il y a un danger d'exclusion certain pour les minoritaires ou les marginaux : l'extension de la sécurité sociale en est un exemple typique.

Mais pour concilier la revendication de la sécurité avec l'aspiration à la liberté, la voie à suivre paraît étroite. Il convient d'une part de desserrer les contraintes et d'autre part d'améliorer les consentements. En effet, la bureaucratisation en codifiant les règles a bien conduit à la sécurité mais trop souvent au prix de la liberté des individus. Le phénomène bureaucratique débouche sur l'anonymat en favorisant la concentration des pouvoirs, tant administratifs, politiques, qu'économiques ; il faut rendre à l'homme la place qui lui revient dans la société de nos jours, c'est-à-dire le faire participer pour qu'il devienne un individu responsable de son destin : le mouvement associatif, sans aller jusqu'à proposer des contre-pouvoirs comme le suggère le rapport Delmon, témoigne de cette vitalité. Pour cela, il devient nécessaire de décentraliser les prises de décision et limiter le pouvoir des technocrates, brillants techniciens pour la sécurité collective mais ignorant trop les diversités locales qui font l'expression de la liberté individuelle. Dans cette lutte, les citoyens doivent être pleinement informés car décider exige une connaissance globale du sujet ; dans *L'homme sans qualités,* Musil s'est élevé contre le savoir partiel fait d'un foisonnement d'idées et de croyances. Par ailleurs, il paraît nécessaire de se méfier des groupuscules minoritaires qui, au nom de la liberté, confisqueraient les pouvoirs afin d'imposer leur propre modèle de sécurité : la résurgence des corps intermédiaires est un danger qu'il ne faut pas sous-estimer.

La France, plus que ses proches voisines, connaît une crise d'identité. Le passage d'une société rurale, de type traditionnel, où la cellule familiale assurait la sécurité, à un mode de vie industriel et urbain conduit à une certaine confusion. Isolé, l'homme a essayé de s'organiser pour la recherche d'une meilleure sécurité face aux agressions socio-économiques. Mais en démocratie, pouvoir par le peuple et pour le peuple, le citoyen a trop tendance à rechercher cette sécurité en se tournant vers l'État, entité dont il attend la solution à tous ses problèmes.

Des résultats indéniables ont été obtenus, mais l'homme y a trop souvent perdu sa liberté pour devenir un assisté permanent. Mais après tout la solution n'est-elle pas à trouver au niveau de chaque individu ? Il convient de réagir pour concilier la revendication de la sécurité avec l'aspiration de la liberté, c'est avant tout un effort de volonté. « Crois-moi, disait Voltaire, l'homme est libre du moment qu'il veut l'être. »

Centre National d'Études Supérieures de la Sécurité Sociale

Composition sur un sujet se rapportant aux problèmes politiques, économiques et sociaux du monde contemporain.

1 La tendance générale à la diminution de la durée du travail vous paraît-elle devoir entraîner une politique des loisirs ? *(1962)*

2 Les rapports entre le progrès technique et le progrès social. *(1963)*

3 Problèmes posés par les données actuelles de la démographie française. *(1964)*

4 L'information économique des citoyens. *(1965)*

5 Est-il vrai qu'« un monde gagné par la technique est perdu pour la liberté » ? (Bernanos, *1966*)

6 La participation des citoyens, dans la vie sociale et professionnelle, aux mécanismes par lesquels la collectivité dirige son évolution est-elle une des tendances actuelles de la démocratie ? *(1967)*

7 Subsiste-t-il, actuellement, une forme particulière de civilisation que l'on pourrait qualifier : « Civilisation Européenne » ? *(1968)*

8 Paris et la province. *(1969)*

9 Bertrand de Jouvenel a écrit :
« Tout s'organise contre l'État qui devrait présider à l'organisation de tout. »
Pensez-vous que les rapports entre les différentes catégories socio-professionnelles et l'État dans la France contemporaine peuvent servir à illustrer cette phrase ? *(1970)*

10 Commenter cette phrase de Goethe, écrite en 1808 :
« C'est assez désagréable de ne pouvoir plus rien apprendre pour toute sa vie. Nos aïeux s'en tenaient aux enseignements qu'ils avaient reçus dans leur jeunesse, mais il nous faut recommencer tous les vingt ans si nous ne voulons pas être complètement démodés. » *(1971)*

11 Discuter l'opinion de Madame de Staël, selon laquelle :
« On a raison d'exclure les femmes des affaires publiques et civiles ; rien n'est plus opposé à leur vocation naturelle que tout ce qui leur donnerait des rapports de rivalité avec les hommes et la gloire elle-même ne saurait être pour une femme qu'un deuil éclatant de bonheur. » *(1972)*

12 La pauvreté. *(1973)*

13 L'État et l'information. *(1974)*

14 Le gaspillage. *(1975)*

15 Commenter, en vous interrogeant sur son actualité, cet extrait d'une circulaire du Ministre de l'Intérieur adressée aux préfets en 1862 :
« Que la bureaucratie ne se croie pas créée pour l'objection, l'entrave et la lenteur tandis qu'elle ne l'est que pour l'expédition et la régularisation. » *(1976)*

16 Commenter cette affirmation :
« Il n'y a de vrai régionalisme que culturel. La personnalité régionale, c'est une volonté de mémoire. » *(1977)*

17 La revendication de la sécurité vous paraît-elle conciliable avec l'aspiration à la liberté ? *(1978)*

18 Le partage des richesses. *(1979)*

8. L'École Nationale de la Santé Publique

Thème de réflexion : la santé

• Nous vous invitons à préparer des plans détaillés sur les questions suivantes :
- La civilisation industrielle moderne et ses dangers pour la santé de l'homme,
- La politique de la santé,
- L'éducation sanitaire de la population.

• Voici quelques extraits significatifs du rapport sur les principales options du VIIIe Plan :

« Les dépenses consacrées à la santé représentaient en 1950 3 % du produit intérieur brut ; elles ont atteint 7 % en 1977. Cette forte augmentation s'observe dans tous les pays industriels, sans que le taux de prise en charge de ces dépenses par la collectivité paraisse avoir d'influence sur une évolution qui traduit à la fois un désir croissant de sécurité et de bien-être et les progrès de la médecine et de la chirurgie.

« Dans une période de croissance modérée, le ralentissement des dépenses de santé doit être recherché par une plus grande efficacité de l'organisation sanitaire, par une limitation de l'offre de soins là où elle conduit à des gaspillages et à des consommations inutiles et par une modération de la consommation médicale privée.

« Plus généralement, les efforts réalisés pour prévenir les risques d'accidents de la circulation, d'accidents de la consommation, d'accidents du travail et de maladies professionnelles, pour améliorer le cadre de vie et réduire les tensions de la vie urbaine, pour lutter contre l'alcoolisme et le tabagisme sont autant de moyens de prévenir des dépenses de santé coûteuses et inutiles. »

• Ouvrage de base : *La santé,* par M.-M. Salort, collection Profil.

Peut-on dire que la presse constitue un quatrième pouvoir ?

Orientations générales

• Dans une introduction historique tendant à définir la notion de pouvoir, vous pourrez remonter jusqu'à Montesquieu, ou même jusqu'aux philosophes grecs. Mais cette introduction ne devra pas dépasser une page. Le sujet ne porte en effet ni sur la théorie des pouvoirs, ni sur la séparation des pouvoirs. (Les candidats qui, consciemment ou inconsciemment, se tromperaient de sujet, s'exposeraient évidemment à la note éliminatoire.)

La question n'appelle certes pas une réponse positive sur le plan institutionnel. Vous pourrez donc écarter cet aspect du problème soit à la fin de votre introduction, soit au début de vos développements.

• L'essentiel de votre copie semble devoir être consacré à montrer en quoi la presse contitue bien (et dans quelle mesure elle constitue...) un « quatrième pouvoir ». Vous vous référerez utilement aux nombreux ouvrages qui y sont consacrés, et vous pourrez citer notamment ce titre évocateur : *Le pouvoir d'informer*.

Votre analyse sera éclairée utilement par :
- Des références historiques (rôle de la presse depuis le XVIIe siècle ou le XVIIIe siècle).
- Des comparaisons internationales (rôle et statut de la presse dans divers grands pays du monde occidental, ainsi que dans les pays socialistes ou dans le tiers monde).

« Montrez que le progrès technique n'a pas pour seul résultat d'améliorer les niveaux de vie. Il transforme aussi le genre de vie des hommes. »

Éléments d'introduction

Il faut définir les trois termes essentiels du sujet :
- progrès technique,
- niveau de vie,
- genre de vie.

Développements

• Le plus simple semble d'illustrer successivement les deux phrases du sujet :
- Le progrès technique améliore le niveau de vie.
- Il transforme le genre de vie des hommes.

• Il faut, bien entendu, veiller à produire une copie assez riche, grâce à :
- Un historique assez dense et précis (illustration du sujet dans le temps),
- Des comparaisons internationales judicieuses (illustration du sujet dans l'espace).

• N'oubliez pas de parler des aspects négatifs ou des désillusions du progrès, et de chercher les remèdes possibles.

Éléments de conclusion

Il sera bon de rédiger une conclusion prospective substantielle sur le destin de notre civilisation.

«Commentez, au regard de l'évolution politique, économique et sociale de la France du XXe siècle, cette pensée d'Alfred Sauvy : «Souvenez-vous qu'il faut être de l'avant-garde dont le propre est de reconnaître plusieurs chemins possibles. Une certaine décantation se fait à mesure que progresse le gros de la troupe. Sans avant-garde, on ne s'appuie que sur le passé.»

Orientations générales

Voilà un sujet fort complexe. Le jury vous jugera donc sur la qualité de votre effort de synthèse.

• Vous pouvez, en introduction, situer l'auteur, si vous le connaissez. Vous soulignerez qu'Alfred Sauvy s'est toujours voulu lui-même à l'avant-garde (citer notamment ses prises de position dans le domaine démographique, puis dans le domaine économique).

• Une première partie pourra être consacrée à une définition de «l'avant-garde» (1re sous-partie) et à une analyse de son rôle (2e sous-partie).

• Une seconde partie sera alors consacrée à l'analyse des conditions du succès :
- Savoir vaincre le poids des forces conservatrices,
- Mais aussi savoir laisser s'opérer la nécessaire «décantation».

Le progrès est fait de plusieurs phases successives :
- L'exploration des chemins possibles,
- Les découvertes, ou les décisions (exemple : un grand train de réformes),
- La «décantation», c'est-à-dire la période d'application et de diffusion des progrès.

• Il n'est sans doute pas opportun de consacrer une partie entière à l'analyse de la dernière phrase : «sans avant-garde, on ne s'appuie que sur le passé». Il semble plus judicieux de conforter votre thèse principale par l'exemple d'arguments a contrario.

D'après Michel Crozier (*La Société bloquée,* 1970), « La société française de 1900 était beaucoup plus consciente des mécanismes de son fonctionnement que ne l'est la société française d'aujourd'hui ».
Il en tire la conclusion suivante : « La société d'aujourd'hui ne manque pas de parler constamment de changement, mais elle se refuse, malgré ses apparences révolutionnaires, à envisager le moindre changement réel, et une de ses armes essentielles est son extraordinaire capacité à masquer la réalité ou à la brouiller. »
Pensez-vous que l'évolution politique, économique et sociale de la France au XXe siècle confirme ou infirme cette opinion ?

Orientations générales

• Voilà encore une vaste fresque historique à composer. Vous avez, bien entendu, toute liberté pour choisir une thèse, mais il semble que les deux phrases de l'auteur appellent des appréciations nuancées.

Dans votre introduction, ou au début de votre première partie, vous vous demanderez si la société française de 1900 était vraiment beaucoup plus consciente des mécanismes de son fonctionnement que ne l'est la société française d'aujourd'hui.

Certes, ces mécanismes étaient apparemment beaucoup plus simples. Mais les sciences sociales étaient encore inexistantes, ou seulement balbutiantes, et le niveau d'instruction générale était encore assez faible. Vous exposerez quels progrès ont été accomplis depuis.

• La clé du sujet réside dans la notion de changement. C'est d'ailleurs l'une des notions clés des débats politiques français depuis quelques années.

Il vous faut donc analyser de façon approfondie l'attitude de notre société à l'égard du changement.

Quels sont les facteurs de changement, et quels sont les facteurs de sclérose dans la société française actuelle ?

Lesquels vous paraissent devoir l'emporter ?

Il vous faudra, bien entendu, opérer une distinction entre les changements subis et les changements voulus.

9. Le Ministère de la justice et l'École Nationale de la Magistrature

Les problèmes de la justice

Nous vous invitons à constituer des dossiers sur les thèmes suivants :

1 Justice et société.
Justice et démocratie.

2 L'ordre et la justice.
Justice et ordre social.

3 L'égalité devant la justice.
Justice et liberté.
Justice et garantie des droits fondamentaux du citoyen.

4 Les institutions judiciaires face à l'opinion dans la France d'aujourd'hui.
La chicane est-elle un mal français ?
Le citoyen et la justice.
L'État et la justice.

5 Le magistrat dans la société française.
Pourquoi être juge ?

6 Répression et prévention.
La prévention et l'éducation.
Le rôle éducatif de la justice.

7 La condition pénitentiaire.
La réinsertion sociale des détenus.

8 Les grands débats sur les problèmes judiciaires :
- Dans la France contemporaine,
- Dans l'actualité française.

La justice peut-elle être neutre ?
La justice doit-elle se soucier d'efficacité sociale ?

N.B. Les candidats à des concours de hauts niveaux, notamment ceux qui sont juristes d'origine, doivent évidemment posséder les connaissances techniques nécessaires sur les institutions, les règles de fond et les procédures.

Éléments d'introduction

Vous pouvez d'abord rappeler :

1. L'attachement traditionnel du peuple français au principe de l'égalité.
2. Vous pourrez entendre ici le mot *justice* au sens d'*institutions judiciaires.* (Le sujet doit être traité de façon concrète. Il ne s'agit pas d'une analyse philosophique des rapports à établir entre deux valeurs très générales.)

Il conviendra d'effectuer un bilan critique du système actuel, puis de présenter des propositions constructives.

1. Bilan critique du système actuel

1.1. *Les principes fondamentaux*

- Égalité des droits.
- Indépendance de l'autorité judiciaire.

1.2. *Les problèmes actuels*

- Les difficultés pratiques subies par les justiciables.
- Le reproche de conservatisme adressé au système judiciaire.

2. Propositions pour une amélioration du fonctionnement de la justice

2.1. *Pour une meilleure information des justiciables*

- Un effort d'information générale.
- Le développement des procédures de consultation.

2.2. *Pour une justice plus rapide et moins coûteuse*

- La simplification des procédures et l'amélioration du fonctionnement matériel des tribunaux.
- La réduction des frais de justice et l'assistance aux justiciables non fortunés.

Idée de conclusion

L'inégalité est un phénomène à la fois naturel et toujours renaissant. Faire coïncider justice et égalité ne peut être qu'un idéal, mais nécessite une action permanente dans une société démocratique.

Quelques maximes à commenter

- **Maximes anciennes :**

- «Justice extrême est extrême injustice.»
- «Une bonne cause ne saurait craindre aucun juge.»

- **Réflexions sur le coût de la justice :**

- «Dis la vérité à Dieu, mais donne de l'argent au juge.» (Russie)
- «La pratique est chose précieuse ; c'est pourquoi elle coûte cher.» (Espagne)
- «La justice est une si belle chose qu'on ne saurait trop l'acheter.» (Lesage)
- «Personne ne fut jamais pendu avec de l'argent dans sa poche.» (Europe orientale)

- **Sentences de nos moralistes :**

- «L'amour de la justice n'est pour la plupart des hommes que la crainte de souffrir l'injustice.» (La Rochefoucauld)
- «On ne peut être juste si l'on n'est humain.» (Vauvenargues)

Éléments d'introduction

• Partout et toujours, les rapports de la Justice et de la Politique sont imprécis et contestés. Entre les Gouvernements et la masse populaire, entre le pouvoir politique organisé et la pression politique de la rue, la situation des Juges est difficile.

Beaucoup regrettent même que ces rapports puissent exister. Pour la plupart de nos concitoyens, la politique est un mal nécessaire, qu'on accepte plus facilement lorsqu'il sait se faire oublier.

La justice, au contraire, est une aspiration fondamentale :
- Elle fait régner l'ordre nécessaire à la vie en commun,
- Elle est l'ultime recours des citoyens,
- Elle permet de protéger la dignité humaine.

La politique est appréciée selon ses succès ou ses échecs, la justice comme conscience collective du bien et du mal.

En fait, ce schéma théorique n'est pas conforme à la vérité historique :

Sans cesse, la justice intervient dans la politique.

Citer deux exemples principaux :
- Le rôle des Parlements sous l'ancien Régime,
- Le rôle de la Cour Suprême aux États-Unis.

Sans cesse aussi, le pouvoir politique cherche à influer sur la justice. Vous pouvez citer divers exemples historiques, depuis la condamnation de Socrate, pour menées subversives, jusqu'aux actuels procès politiques dans beaucoup de pays.

• L'analyse des rapports qui existent en fait entre la justice et la politique doit donc être nuancée :

- D'une part, ces rapports dépendent étroitement de la conception de l'État adoptée,
- D'autre part, l'État démocratique semble exclure l'existence d'un véritable pouvoir judiciaire.

1. Les rapports de la justice et de la politique dépendent des conceptions de l'État

1.1. *Dans l'État monarchique, l'autorité judiciaire et l'autorité politique sont confondues.*

- Les monarques exercent la justice en personne (Saint Louis, Louis XI).
- La justice représente pour le pouvoir un moyen essentiel d'assurer sa souveraineté.
- Les institutions judiciaires n'ont aucune indépendance.

1.2. *Dans l'État totalitaire, la justice est l'instrument du pouvoir politique.*

L'autorité judiciaire et l'autorité politique sont distinctes, mais il ne s'agit en aucune façon d'assurer l'indépendance de l'une à l'égard de l'autre. La justice n'a pas d'autre raison que de servir le pouvoir politique.

Vous pouvez citer deux séries d'exemples :
État socialiste (la justice est au service du prolétariat),
État national-socialiste (la justice est au service du Reich).

1.3. *L'État de droit suppose l'indépendance des juges.*

Partant d'une conception différente de l'État, les démocraties occidentales ne peuvent manquer d'en déduire des liens entre la justice et la politique fondamentalement opposés.
- Limitation du pouvoir étatique par la loi.
- Indépendance de la Justice.

(Cf. la Déclaration des Droits de l'Homme et du citoyen d'août 1789.)

Mais constater dans un État de droit la nécessité de l'indépendance de la Justice à l'égard du pouvoir politique ne suffit pas à définir la situation réciproque de la Justice et de la politique.

Si l'indépendance des Juges est complète, l'exercice de la justice peut devenir un véritable pouvoir, le pouvoir judiciaire.

Or l'existence de ce pouvoir semble dans les faits aussi contraire à la conception moderne de l'État démocratique que l'asservissement du juge au pouvoir politique.

2. L'État démocratique exclut l'existence d'un véritable pouvoir judiciaire

La séparation complète des pouvoirs n'est qu'un mythe :
1. Certes, le Juge dispose d'un véritable pouvoir,
2. Mais le pouvoir de juger prolonge l'action politique,
3. Et, dans ces conditions, la formule qui correspond le mieux au schéma démocratique est celle de l'autonomie de l'autorité judiciaire.

2.1. *Le juge dispose d'un véritable pouvoir.*

- Le juge doit dégager la vérité. Analyser son rôle dans l'examen et l'appréciation des faits.
- Le juge doit dégager la règle de droit applicable à l'espèce. Il détient en outre un certain pouvoir d'interprétation de la loi et des règlements.
- Le juge détient un pouvoir de contrainte (formule exécutoire, autorité de la chose jugée).

2.2. *Le pouvoir de juger prolonge l'action politique.*

Le pouvoir de juger est ainsi un pouvoir bien réel.
- Mais il ne peut être placé sur le même plan que le pouvoir politique, car il procède de lui. Le juge applique un droit élaboré par le pouvoir politique.

- Si l'on fait de la Justice un pouvoir constitutionnel pour assurer son indépendance, très vite des contradictions apparaissent dans l'action de l'État. Le pouvoir de juge devient un pouvoir politique (exemple : lutte entre le Président Roosevelt et la Cour Suprême aux États-Unis).
- La soumission du pouvoir de juger à la légalité élaborée par le pouvoir politique est inévitable.

Dans les démocraties modernes, le pouvoir de juger doit s'exercer dans le sens de l'action du pouvoir politique. Il n'en résulte pas d'avilissement de la notion de Justice, mais seulement la nécessité d'assurer son indépendance par d'autres moyens que celui d'en faire un «pouvoir judiciaire» placé sur le même plan que le pouvoir législatif ou le pouvoir exécutif.

2.3. *L'autorité judiciaire doit être autonome.*

L'aménagement des rapports entre Justice et Politique ne peut manquer d'être difficile, car il faut concilier une double exigence :
- Autonomie de l'autorité judiciaire,
- Respect de la volonté populaire, source du pouvoir politique.

Seuls des mécanismes empiriques, et la conscience des juges, peuvent permettre d'y parvenir.

Vous pouvez rappeler quelques points essentiels :

La IIIe République et l'inamovibilité des magistrats,
La IVe République et le Conseil supérieur de la Magistrature,
La Ve République et l'organisation du recrutement et de la carrière des magistrats.
(Création du Centre National d'études judiciaires, devenu École Nationale de la Magistrature, avec un effort de revalorisation de la fonction.)

Il faut également signaler le courant tendant à préserver la Justice d'un contact trop direct avec les réalités de l'action politique, en créant des juridictions spécialisées.

Éléments de conclusion

- La Justice française est-elle en crise ?

Elle a connu des circonstances exceptionnelles (la guerre, l'affaire algérienne), puis des changements de structures.

- La Justice n'est ni assez rapide, ni assez efficace, elle est isolée des réalités de la vie nationale (faire une analyse critique des principaux reproches).

- L'extension des pouvoirs de l'Exécutif doit s'accompagner d'une adaptation des institutions judiciaires.

Quelques citations utiles

● Déclaration des droits de l'homme et du citoyen du 26 août 1789 :

- « Toute société dans lequelle la garantie des droits n'est pas assurée, ni la séparation des pouvoirs déterminée, n'a point de constitution. »

● Maximes et sentences :

- « La justice sans la force est impuissante ; la force sans la justice est tyrannique. » (Pascal, *Pensées*)
- « Ce n'est pas la loi qu'il faut craindre, mais le juge. » (Proverbe russe)
- « Une sentence mauvaise fait plus de mal que beaucoup de mauvais exemples ; ceux-ci corrompent seulement le ruisseau, mais celle-là corrompt la source. » (Francis Bacon)
- « La Cour rend des arrêts et non pas des services. » (Séguier, premier président de la Cour de Paris en 1810)

Plan détaillé sur le thème :
« L'évolution des institutions judiciaires et le rôle du juge dans la France contemporaine. »

• Un tel sujet intéresse évidemment surtout les candidats qui sont juristes d'origine.

Mais il s'agit aussi, manifestement, de plus en plus, d'un sujet général d'actualité.

La Justice est en effet l'objet de nombreuses controverses, venant des bords les plus divers. Celles-ci alimentent largement la grande presse hebdomadaire et quotidienne, aussi bien que les interrogations intérieures des magistrats eux-mêmes.

• Vous pouvez donc présenter une analyse de ces controverses, avant d'exposer votre conception personnelle de la Justice et du rôle du juge.

1. Les controverses actuelles

Deux types de critiques, totalement opposées, s'adressent actuellement à la Justice de notre pays. En outre, les magistrats s'interrogent maintenant sur le sens de leur activité professionnelle et de leur rôle dans la société.

1.1. *Les controverses publiques*

1.1.1. Beaucoup reprochent à la Justice son conservatisme et sa soumission au pouvoir politique.

1.1.2. D'autres la trouvent trop laxiste, et lui reprochent d'encourager ainsi le crime ou la subversion.

1.2. *Les controverses internes*

1.2.1. De plus en plus nombreux sont les magistrats qui prennent conscience de l'ensemble des réalités sociales, et veulent intervenir dans tous les cas où ils estiment que c'est de leur devoir (notamment pour lutter contre la criminalité économique ou financière).

1.2.2. D'autres, au contraire, s'en tiennent aux conceptions traditionnelles, mais c'est aussi une forme d'engagement de leur part.

2. Votre conception de la Justice

• Vous pouvez exposer qu'il importe aujourd'hui :
- D'améliorer le fonctionnement des institutions judiciaires,
- Et de permettre aux magistrats de jouer pleinement leur rôle dans la société moderne.

2.1. *Une justice plus équitable*

2.1.1. Sans aborder les problèmes idéologiques, il faut bien reconnaître que les difficultés de fonctionnement des institutions judiciaires constituent en elles-mêmes de graves obstacles à l'équité.

Les défauts bien connus du système administratif français sont souvent plus évidents et plus graves lorsqu'ils frappent l'appareil judiciaire : archaïsme, lenteur, complexité, ésotérisme, cherté. Seuls les riches et les puissants sont en mesure de les surmonter facilement. Les pauvres et les faibles sont démunis.

De ce seul fait, la justice est déjà bien une « justice de classe ».

Il vous revient alors d'exposer les divers remèdes souhaitables.

2.1.2. Il faut aussi améliorer constamment la législation pour l'adapter au monde moderne.

Le juge est tenu d'appliquer la loi. Encore faut-il que celle-ci soit elle-même juste, et que le pouvoir législatif accomplisse des efforts permanents pour l'adapter.

Vous pouvez citer des exemples de législations tellement dépassées qu'elles étaient devenues profondément injustes (exemple : en matière de contraception).

Vous pouvez citer aussi des domaines où le législateur n'est pas suffisamment intervenu (lutte contre la criminalité économique, la fraude fiscale, la délinquance financière, qui causent de très graves dommages au pays).

Les magistrats eux-mêmes ne doivent-ils pas collaborer à cette évolution ?

2.2. *Le devoir des juges*

Tout en demeurant totalement indépendants, les magistrats doivent exercer pleinement leurs responsabilités dans la société moderne.

2.2.1. La nécessaire indépendance.

Ses éléments traditionnels :

- L'indépendance politique et financière,
- L'inamovibilité des magistrats du siège.

Indépendance et neutralité ne doivent toutefois pas signifier isolement.

2.2.2. Les responsabilités des magistrats.

Les magistrats doivent avoir une conception active de leur rôle dans la société moderne. Sans s'immiscer dans le fonctionnement de l'Administration ou dans les activités privées, ils doivent assumer pleinement leurs responsabilités, en poursuivant toutes les formes de délinquance, et en s'attachant à la protection sociale des plus faibles.

Sans aller eux-mêmes au-delà de la loi, les magistrats doivent contribuer à l'évolution nécessaire de la législation. Ils doivent signaler aux pouvoirs exécutif et législatif toutes les carences graves qu'ils relèvent au détriment de l'équité, et recommander les mesures nécessaires au développement de la justice et du progrès social.

Éléments de conclusion

- Le rôle des institutions et le rôle des hommes.
- La confiance nécessaire de l'État et des citoyens envers la Justice.

Concours de chef de service pénitentiaire (remplacé à partir de 1977 par le concours de sous-directeur)

Avant 1977, il s'agissait du concours de « chef de service pénitentiaire ».

Voici, à titre d'information, les sujets proposés de 1972 à 1976.

1 Les économistes modernes déclarent couramment qu'en un proche avenir tout individu désireux de gravir les échelons de la réussite matérielle et professionnelle devra exercer, durant sa vie, au moins trois emplois de nature totalement différente en différentes entreprises.
Pensez-vous que cette mobilité de la main-d'œuvre, qui suppose de profonds changements dans les mœurs françaises, et soulève de graves problèmes humains, soit souhaitable et réalisable ? *(1972)*

2 Les diplômes étaient, récemment encore, considérés en France comme un *sésame* permettant l'entrée dans certaines carrières ; ils conféraient presque automatiquement, à ceux qui en étaient titulaires, une situation sociale enviable leur vie durant.
Or aujourd'hui il est de plus en plus question de formation continue et de perfectionnement et l'on sait les difficultés que rencontrent certains cadres prenant de l'âge pour conserver leur emploi ou se reconvertir.
A quelle réalité correspond cette évolution et quels sont les problèmes posés de la sorte dans notre pays ? *(1973)*

3 L'évolution de la population française au XXe siècle. *(1974)*

4 Quelles sont à votre avis les grandes mutations de la société française depuis 1945 ? *(1975)*

5 Quels sont, selon vous, les grands fléaux sociaux aujourd'hui ? Quels remèdes préconisez-vous pour les atténuer ou les faire disparaître ? *(1976)*

Concours de sous-directeur des services extérieurs de l'administration pénitentiaire

Composition sur un sujet d'ordre général

Relatif à l'évolution politique, économique et sociale de la France au XXe siècle (durée : 4 heures, coefficient : 4).

« Si vous recherchez une existence confortable et bien équilibrée, avec un travail intéressant, des réunions familiales et des loisirs, avec des revenus substantiels et une bonne retraite, choisissez une carrière privée. Si vous acceptez la perspective d'une existence tyrannisée par votre profession, avec de dures périodes d'effort et de lutte, avec beaucoup d'espoir et beaucoup d'illusions, quelques réussites exaltantes et d'amères déceptions, choisissez le service de l'État. Vous serez mal payés, mal aimés de vos concitoyens, bourrelés de remords à l'égard de votre femme et de vos enfants. Mais votre satisfaction sera de pouvoir penser un jour que vous aurez vécu une vie *d'action,* une vie *d'aventure,* au sens anglais du mot - car la fonction publique est sans doute la dernière grande aventure de la civilisation occidentale. »

Partagez-vous le point de vue de ce haut fonctionnaire qui ne manquait pas de répéter ces paroles à ses élèves ? *(1977)*

École Nationale de la Magistrature

Sujets des épreuves écrites d'accès au cycle préparatoire

Rédaction en trois heures d'un exposé sur une question d'actualité, d'ordre social, juridique, politique ou économique. Les candidats ont, pour cette épreuve, le choix entre trois sujets (coefficient 2).

Voici quelques exemples de sujets, classés par grands thèmes.

A. Sujets d'ordre moral ou juridique et réflexion sur la Justice

1 Le respect de la vie humaine.

2 La Bruyère a écrit : « Un coupable puni est un exemple pour la canaille, un innocent condamné est l'affaire de tous les honnêtes gens. » Quelles réflexions vous suggère ce texte ?

3 Jaubert a écrit : « La justice sans force, la force sans justice, malheur affreux. » Qu'en pensez-vous ?

4 Crime et violence au cinéma et à la télévision.

5 L'information et l'indépendance des journalistes.

6 Quelles fonctions assignez-vous à la prison de nos jours ?

7 Quelles améliorations ont été apportées à l'organisation et au fonctionnement de la justice depuis une dizaine d'années ?

8 Que pensez-vous de ces phrases extraites de la conclusion du rapport du Comité d'Études sur la violence, la criminalité et la délinquance ?
« La violence est en l'homme... Croire étouffer la violence sous la force n'est que changer le sens des mots... La prévenir n'est pas seulement œuvre de spécialistes, mais exige l'effort de tous... » *(juillet 1977)*

B. Sujets d'ordre culturel

Culture

1 Culture individuelle et culture de masse.

2 La culture peut-elle conduire au bonheur ?

Formation

3 Avantages et inconvénients de la spécialisation professionnelle.

4 Formation professionnelle et promotion sociale.

5 L'enseignement de la géographie est-il une discipline mineure ?

6 Le choix d'un métier.

Lecture

7 Anatole France a écrit dans *Le jardin d'Épicure :*
« Quand on lit un livre, on le lit comme on veut ou plutôt on lit ce qu'on veut, le livre laisse tout à faire à l'imagination. »
Qu'en pensez-vous ?

C. Sujets d'ordre économique

1 Le fonctionnement d'une entreprise.

2 Quels sont à votre avis les facteurs actuels qui pourraient provoquer une décroissance économique ?

3 Quelles idées vous inspire le thème : « Nous voulons vivre et travailler au pays » ?

4 Pourquoi et comment défendre les consommateurs ?

5 Petits commerces et grandes surfaces commerciales.

D. Sujets d'ordre social

1 L'urbanisation, ses causes, ses conséquences.

2 La place de l'enfant dans la société contemporaine.

3 Travail féminin et émancipation de la femme, au cours du XXe siècle.

4 L'égalité des sexes.

5 Justification et limites d'une politique des loisirs.

6 La dénatalité.

7 Conséquences sociales, familiales, morales, économiques de l'accroissement de la longévité humaine.

8 Quelles réflexions vous inspire la phrase suivante : « Du travail pour tous dans une société libre » - *Lord Beveridge* ?

9 Quelles idées vous inspire le thème : « Nous voulons vivre et travailler au pays » ?

10 Le choix d'un métier.

11 Formation professionnelle et promotion sociale.

12 L'égalité des classes, dans la vie sociale.

13 Pourquoi et comment défendre les consommateurs ?

14 Le problème de l'emploi des femmes.

E. Sujets d'ordre politique

1 Le rôle des partis politiques dans la vie nationale.

2 Le fédéralisme.

3 La francophonie.

4 Quelles réflexions vous suggère cette remarque d'un auteur contemporain : « Toute révolution libère, tout en créant de nouvelles contraintes » ?

5 Les nationalismes dans le monde actuel.

6 Camus a écrit : « Chaque génération se croit vouée à refaire le monde. La mienne sait, pourtant, qu'elle ne le refera pas. Notre tâche consiste à empêcher que le monde se défasse[1]. »

1. Ce sujet a aussi des aspects sociaux et culturels.

Sujets des épreuves écrites des concours d'accès à l'École nationale de la Magistrature depuis sa création

Première épreuve : Culture générale.

Composition portant sur les aspects sociaux, juridiques, politiques, économiques et culturels du monde actuel. Durée : 5 heures ; coefficient : 5.

1 « L'esprit juridique », que les critiques étrangers attribuent souvent aux Français, vous paraît-il avoir déterminé, accéléré ou compromis l'évolution politique, économique et sociale depuis un siècle ? *(1959)*

2 L'individu dans l'État, au début du dix-neuvième siècle, et de nos jours. *(1960)*

3 On a dit que la société du dix-neuvième siècle était « la société du Code civil ». Que pensez-vous de ce jugement ? *(1961)*

4 Le son et l'image dans la société contemporaine. *(1962)*

5 L'évolution du rôle de la jeunesse dans la société française depuis le début de la Troisième République. *(1963)*

6 Pensez-vous, avec un économiste contemporain, que le progrès s'exprime en termes de liberté et non en termes de bien-être ? *(1964)*

7 L'idée du juste dans ses rapports avec l'ordre social. *(1965)*

8 Grandeur et misère de l'idée européenne depuis la seconde moitié du dix-huitième siècle. *(1966)*

9 La paix par le droit dans les relations humaines. *(1967)*

10 Paul Valéry a écrit : « Quand elle coupe une tête, la société croit qu'elle extermine ce qui la blesse, comme un homme gonflé de poison croit se guérir en se brûlant un petit abcès. La société est gonflée de poisons dont les délits ne sont que des exutoires locaux et accidentels en eux-mêmes. » Quelles observations appelle de votre part cette manière de voir ? *(1968)*

11 Le rôle de la presse dans le domaine judiciaire. *(1969)*

12 La promotion de la femme et ses effets dans la société française depuis le début du siècle. *(1970)*

13 Depuis quelque temps notre société s'interroge sur sa justice et la met en question. Qu'en pensez-vous? *(1971)*

14 Croissance économique et qualité de la vie. *(1972)*

15 Région, régionalisme, régionalisation. *(1973)*

16 La connaissance du passé vous paraît-elle utile à la compréhension du monde actuel? *(1974)*

17 L'enfant dans la société contemporaine. *(1975)*

18 Le droit au bonheur. *(1976)*

19 Pourquoi être juge? *(1977)*

20 L'Art dans la Cité. *(1978)*

10. L'École Nationale d'Administration

Thème de réflexion : Les hauts fonctionnaires

• La notion de haut fonctionnaire peut revêtir de multiples acceptions :

- Pour le public, elle se confond avec les visages quotidiens de l'autorité, préfets, ambassadeurs, directeurs de services.
- Pour la presse, elle se ramène souvent aux anciens élèves de l'École nationale d'Administration, indistinctement mêlés dans une caste à qui l'on impute tous les maux comme on a pu le faire à l'encontre des Jésuites, des Francs-Maçons ou autres boucs émissaires.
- Pour le sociologue, il s'agit d'hommes investis de pouvoirs importants dans la sphère politico-administrative, les décideurs.
- Pour le juriste, cette notion recouvre les hommes qui occupent les postes dont la nomination est laissée à la discrétion du Gouvernement, et qui échappent aux règles traditionnelles de la Fonction publique.

C'est donc avant tout à un effort de définition que vous devez vous livrer pour aborder ce thème.

• Puis, il faut recenser les problèmes et les questions que posent les études et débats sur les hauts fonctionnaires :
- Le recrutement des hauts fonctionnaires est-il démocratique ?

- Leur formation est-elle efficace ?
- Les hauts fonctionnaires constituent-ils un groupe social homogène ?
- Quels sont les pouvoirs réels des hauts fonctionnaires ? Ne confisquent-ils pas à leur profit le pouvoir politique ? N'assiste-t-on pas à une interpénétration préjudiciable entre le milieu des hauts fonctionnaires et les milieux politiques ?
- Les hauts fonctionnaires sont-ils responsables de ce qu'un auteur a appelé *Le mal français,* c'est-à-dire la centralisation, la lourdeur et l'autoritarisme de l'Administration ?

● La réponse à ces questions suppose que vous recherchiez des matériaux dans tous les thèmes connexes :
- La bureaucratie,
- La décentralisation,
- Les libertés,
- La réforme administrative,
- Le rôle des grandes écoles dans la société française,
- Les élites et oligarchies,
- La technocratie.

Vous pouvez à l'issue de ces réflexions aboutir à des conclusions diverses.

● L'esquisse de plan détaillé qui vous est présentée ci-après essaie de se dégager de toute polémique. Des présentations plus « brillantes » peuvent être obtenues sur de tels sujets, mais un jugement nuancé sera apprécié.

Sujet : « Les hauts fonctionnaires sont-ils un danger pour la démocratie ? »

Éléments d'introduction

Définir la démocratie : le pouvoir distribué également à tous les citoyens et s'exerçant dans le cadre de libertés individuelles et collectives étendues.

Indiquer que ce qui peut menacer la démocratie, ce peut être la création de castes qui monopoliseraient le pouvoir à leur profit.

Il faut donc voir, d'une part, si les hauts fonctionnaires constituent une caste, et d'autre part, s'ils exercent des pouvoirs exorbitants.

1. Les hauts fonctionnaires

Ils ne constituent ni une caste ni une technocratie ; ils se caractérisent par l'hétérogénéité et la polyvalence.

1. *L'hétérogénéité.* L'E.N.A. a atténué ce que le régime antérieur pouvait avoir de cooptatif; elle constitue un élément de démocratisation du recrutement social de la haute administration.

Nombreux sont les hauts fonctionnaires qui ne sont pas recrutés par la voie de l'E.N.A. mais par celle d'autres grandes écoles ou par l'université (recteurs, responsables d'établissements publics...).

2. *La polyvalence.* Au niveau de décision où ils se situent, les hauts fonctionnaires doivent obligatoirement prendre en compte tous les facteurs et ont une vision pluridisciplinaire. Ce sont avant tout des généralistes de la gestion.

Leur carrière se caractérise par la mobilité fonctionnelle (les administrateurs civils, par exemple, sont un corps interministériel soumis à une obligation statutaire de mobilité). Cette mobilité peut s'étendre à des passages dans les entreprises (entreprises nationales, sociétés d'économie mixte, organismes financiers...).

2. Les pouvoirs des hauts fonctionnaires

Les « grands commis » sont au service des pouvoirs institutionnels, mais ils peuvent cependant investir ceux-ci.

1. *Le primat des pouvoirs institutionnels*

L'Administration est l'outil de la volonté populaire matérialisée de loin en loin par le canal des élections et exprimée quotidiennement par le Parlement, le Président et le Gouvernement.

Si les ministres font partie de la sphère politique, les hauts fonctionnaires forment la jointure entre celle-ci et l'administration.

Leur statut qui les met à la disposition du Gouvernement et permet à celui-ci de les nommer, déplacer et remercier à sa guise, garantit qu'ils soient parfaitement disciplinés vis-à-vis du pouvoir politique légitime.

2. *Les dangers de l'ambiguïté*

L'histoire fourmille d'exemples de hauts fonctionnaires passant dans la sphère politique et s'intégrant aux pouvoirs institutionnels. La Ve République ne fait pas exception à la règle, au contraire : plus de trente députés sont d'anciens hauts fonctionnaires, et c'est souvent le cas de la majorité des ministres et même des plus hauts personnages de l'État.

Si le mécanisme n'est pas condamnable en soi, ce qui est permis à tout citoyen ne pouvant être refusé aux hauts fonctionnaires, il peut amener à s'interroger à cause de son ampleur récente.

Éléments de conclusion

Plusieurs orientations sont possibles.

Mais une seule est cohérente avec le plan qui vous a été présenté ci-dessus. Elle consiste à répondre par la négative à la question posée par le sujet en précisant les conditions à remplir pour que les dangers évoqués ne se concrétisent pas :

- Démocratiser et diversifier au maximum le recrutement des grandes écoles, et laisser subsister une pluralité de recrutement des hauts fonctionnaires (grandes écoles, université, promotion interne, personnalités diverses...).
- Poser des règles claires de passage de la haute fonction publique aux postes politiques.
- Soumettre le contrôle vigilant de l'appareil de l'État et du secteur public à toutes les instances démocratiques (Parlement, collectivités locales, associations...).

Exercices personnels

1. *Rapprochez et commentez les deux Articles suivants de la Déclaration des Droits de l'Homme et du Citoyen du 26 août 1789 :*

Article 3 Le principe de toute souveraineté réside essentiellement dans la Nation. Nul individu ne peut exercer d'autorité qui n'en émane expressément.
Article 15 La société a le droit de demander compte à tout agent public de son administration.

2. *Commentez*

« L'omnipotence napoléonienne de l'État fut longtemps en France tempérée par l'inefficacité des fonctionnaires. Pour un Javert, le roman et le théâtre fournissent une longue galerie d'idiots suffisants, de ronds-de-cuir philosophes ou d'hommes d'esprit ennuyés, tous inoffensifs.

La création en 1945 de l'École Nationale d'Administration a changé tout cela.

Détournant le courant des forts en thème de l'enseignement des lettres au Lycée de Bourg-en-Bresse, elle l'a précipité dans les canaux desséchés de ce grand corps assoupi mais si consubstantiel à la nation : l'Administration.

Depuis vingt ans, l'E.N.A. irrigue les ministères, les provinces et les chancelleries. »

Extrait de « L'Énarchie ou les mandarins de la société bourgeoise », par Jacques Mandrin, *La table ronde de Combat.*

Épreuves d'accès au cycle de préparation à l'École Nationale d'Administration
(Classification thématique des sujets de note d'actualité)

QUESTIONS D'ORDRE ÉCONOMIQUE

1 Qui est responsable de l'inflation ?
2 Faut-il épargner ?
3 Les subventions budgétaires.

4 Puissance et fragilité de l'économie moderne.
5 L'économie française devant le Marché Commun.

6 L'intervention de l'État dans le domaine économique dans la France d'aujourd'hui.
7 Pourquoi un plan de développement économique et social ?
8 La planification économique se justifie-t-elle ?
9 Le rôle des consommateurs dans la vie économique actuelle.
10 Aspects économiques et sociaux du crédit à la consommation.

11 Les problèmes posés par l'expansion démographique en France *(1964).*
12 Évolution démographique et croissance économique *(1976).*

13 L'agriculture en France.
14 Peut-on planifier l'agriculture en France ?
15 Faut-il encore des paysans ?

16 L'artisanat a-t-il encore un rôle à jouer dans la société industrielle de demain ?

17 L'avenir des moyens de transport en France.
18 Le tourisme, facteur de développement économique.

19 Quelles peuvent être, à votre avis, les conséquences de la crise mondiale de l'énergie ?
20 Le dollar.

QUESTIONS D'ORDRE SOCIAL ET CULTUREL

A. Questions sociales générales ou diverses

1 Niveau de vie et qualité de vie dans la France d'aujourd'hui.
2 L'égalité des chances dans notre société.
3 La fiscalité peut-elle être considérée comme un moyen de réduction des inégalités ?
4 La promotion sociale.

5 Les rapports entre partenaires sociaux.

6 Quelles sont actuellement les classes dirigeantes en France ?

7 Que pensez-vous de l'institution, en France, d'un Secrétariat d'État à la condition féminine ?
8 Les femmes doivent-elles « rentrer à la maison » ?
9 La femme et la famille dans notre société moderne.

10 Les problèmes posés en France par les personnes âgées.
11 A quels besoins, selon vous, doit répondre l'hôpital en France ?
12 La gratuité des soins vous paraît-elle possible ? Vous paraît-elle souhaitable ?
13 L'alcoolisme, problème national.

B. Le monde du travail

14 Le rôle des cadres dans l'entreprise.
15 Le rôle des syndicats dans la France d'aujourd'hui.

16 L'inégalité devant le chômage.

17 Formation des jeunes et accès à l'emploi.
18 Les jeunes et le plein emploi.

19 Temps de travail et temps de loisir.

C. La vie culturelle

20 La formation des individus dans la société moderne.

21 Un métier s'apprend-il à l'école ou sur le tas ?
22 Quels sont, selon vous, le rôle et les perspectives de la formation permanente en France ?

23 L'organisation des loisirs.
24 Information et culture.
25 Culture et télévision.

QUESTIONS ADMINISTRATIVES, JURIDIQUES, POLITIQUES, GÉNÉRALES ET DIVERSES

A. Questions à dominante administrative et juridique

1 Le suffrage universel.
2 Quelle est, selon vous, l'incidence des systèmes électoraux sur la vie politique ?

3 Doit-on élire le Président de la République française au suffrage universel ? (sujet donné en février 1962).
4 L'ordre public.

5 L'exemplarité des sanctions pénales.
6 Les libertés individuelles et la détention provisoire (précédemment qualifiée de détention préventive).

7 La protection de la vie privée.
8 L'institution du médiateur en France vous paraissait-elle nécessaire ?
9 La participation des citoyens à la vie locale.
10 La commune française et son avenir.

B. Questions politiques générales

11 Dans quelle mesure pensez-vous qu'on peut ou qu'on ne peut pas distinguer problèmes politiques, problèmes économiques et problèmes sociaux ?

12 Les partis politiques et la démocratie.
13 Les élection locales sont-elle, à votre avis, des élections politiques ?
14 Le citoyen et l'État.
15 L'État et l'opinion publique.
16 L'information des citoyens.
17 Les sondages d'opinion.

18 L'armée, l'État et la nation.

19 Le régionalisme.

20 L'État est-il responsable du bonheur des citoyens ?

21 Est-il souhaitable, selon vous, que l'État confie au secteur privé certaines activités de service public ?

C. Questions internationales

22 L'exploration spatiale et les divers problèmes qu'elle pose.

23 La faim dans le monde.

24 La Chine et le monde actuel.
25 Qu'entend-on par indépendance nationale ?

Annales commentées du concours d'entrée à l'École Nationale d'Administration

Le concours d'entrée à l'École nationale d'Administration comporte une épreuve de dissertation générale affectée d'un fort coefficient.

De 1946 à 1971, elle était qualifiée d'épreuve de « premier jour » (car elle avait lieu le premier jour du concours). Sa durée était de six heures. Elle était commune aux deux concours, interne et externe.

Depuis 1972, ont été instituées deux « voies » pour l'accès et la scolarité à l'E.N.A., l'une à dominante juridique, l'autre à dominante économique. L'épreuve est maintenant dite de « troisième jour », et les sujets peuvent être différenciés selon les voies.

Elle consiste en « une composition, rédigée en cinq heures, portant sur les problèmes politiques, internationaux, économiques et sociaux du monde actuel ».

Il vous revient de prendre connaissance de la liste suivante de façon active, et de recenser avec méthode les principaux thèmes de réflexion correspondant à chacun des sujets.

Vous pourrez ensuite effectuer divers exercices personnels, et notamment préparer des plans, schématiques ou détaillés. Il sera bon de vous exercer notamment à rédiger avec soin des introductions et des conclusions.

Sujets donnés aux concours d'entrée «Étudiants» à l'École Nationale d'Administration. Épreuve dite de «Premier Jour», de 1946 à 1971

---

1 «L'évolution politique, économique et sociale depuis un siècle permet-elle de conclure au progrès humain?» *(1946)*

La notion de progrès peut fournir de multiples sujets. Dans un concours de catégorie B, on attendra de vous des réflexions concrètes et des réflexions d'ordre moral. Plus le niveau du concours sera élevé, et plus on attendra de vous des réflexions et des connaissances approfondies sur l'évolution politique, économique et sociale. Ces réflexions vous seront très utiles pour éclairer beaucoup de sujets de concours, et vous donneront notamment des idées assez riches pour rédiger des conclusions substantielles. C'est l'intérêt de travailler sur des notions fondamentales et des «sujets carrefours».

---

2 «Quelles sont, selon vous, les dominantes que l'histoire retiendra pour caractériser, par rapport au XIXe siècle, l'époque dans laquelle le monde est entré depuis 1914?» *(1946)*

La comparaison entre le XIXe siècle et le XXe siècle constitue un thème de réflexion classique, qui vous sera utile pour illustrer beaucoup de sujets généraux. Vous pourrez en effet mieux situer les sujets dans leur contexte, et rédiger des paragraphes historiques intéressants en introduction ou en première partie de dissertation. Nous vous recommandons de préparer un plan détaillé après avoir révisé rapidement vos manuels d'Histoire contemporaine.

Une autre rupture s'est sans doute produite depuis 1973-1974. Vous en caractériserez rapidement les grandes lignes.

3 « Depuis le début du XIXe siècle, la tendance des individus à se grouper s'est accentuée dans tous les domaines. Montrer les conséquences de ce fait sur la vie de l'État en France. » *(1947)*

Le phénomène des groupes a fourni divers sujets de catégorie A ou B. L'analyse de ses conséquences institutionnelles et politiques relève de concours de Catégorie A de niveau élevé. Vous vous demanderez notamment dans quelle mesure ce phénomène est contraire ou conforme à l'évolution démocratique et au progrès social.

4 « Quel rôle, d'après vous, demeure réservé à l'Europe, dans le développement de la civilisation mondiale ? » *(1948)*

C'est un sujet qui, pour les jeunes Européens, sera toujours d'actualité. Retenez bien le thème des valeurs fondamentales de la civilisation européenne : il vous sera utile pour introduire ou illustrer beaucoup de sujets, ou pour rédiger d'intéressants paragraphes de conclusion.

5 « Les deux après-guerre. » *(1949)*

Sujet nécessitant de bonnes connaissances dans les matières historiques, politiques et internationales, et réservé aux concours de plus haut niveau. C'est maintenant davantage un sujet de composition d'histoire qu'un sujet de dissertation générale.

6 « L'évolution du monde moderne est dominée par la tendance à la rationalisation de toutes les formes de l'activité humaine. Dans quelle mesure cette tendance vous paraît-elle compatible avec la conservation des valeurs les plus précieuses de notre type traditionnel de civilisation ? » *(1950)*

On retrouve l'opposition entre progrès et valeurs traditionnelles, qui peut fournir de nombreux sujets pour les concours administratifs de tous niveaux.

7 « Certains discernent en beaucoup de pays une tendance des socialismes à s'imprégner de nationalisme et des nationalismes à s'imprégner de socialisme. Trouvez-vous juste cette observation ? Dans l'affirmative, estimez-vous que ces deux tendances conduisent à des résultats analogues ou à des résultats différents ? » *(1951)*

Sujet intéressant pour les concours de Catégorie A, et qui trouve souvent un regain d'actualité. De façon plus générale, il sera intéressant de réfléchir au rapprochement entre l'Est et l'Ouest, à la détente et à la coexistence pacifique, à l'évolution vers une civilisation mondiale.

8 « Des rôles respectifs de la ville et de la campagne en France depuis le milieu du XVIIIe siècle. » *(1952)*

L'opposition entre villes et campagnes est un sujet classique, et constitue une ligne de réflexion importante pour éclairer les développements sur de nombreuses questions économiques et sociales.

9 « Est-il légitime, à votre avis, de parler de la jeunesse, de la maturité et de la vieillesse d'une nation ? » *(1953)*

Question intéressante, qui nécessite évidemment une bonne culture historique. A rapprocher du sujet suivant (1954), et du sujet consacré à l'idée de patrie depuis le milieu du XVIIIe siècle (1963).

10 « Une nation matériellement affaiblie peut-elle continuer d'exercer une action spirituelle ? » *(1954)*

Cette question devra être traitée à la fois d'un point de vue général et en raisonnant sur le cas particulier de notre pays.

11 «La civilisation du XXᵉ siècle vous paraît-elle déterminée davantage par la réflexion des hommes ou par des comportements d'origine irrationnelle ?» *(1955)*

Après avoir montré en quoi notre siècle est dominé par la réflexion des hommes, vous pourrez recenser les multiples comportements d'origine irrationnelle qui subsistent ou qui se développent avec des aspects nouveaux. Il faudra consacrer une troisième partie, ou une conclusion prospective très développée à la recherche des moyens de limiter l'ampleur des phénomènes irrationnels.

12 «Toute inégalité dans la démocratie doit être tirée de la nature de la démocratie et du principe même de l'égalité, a écrit Montesquieu. Dans quelle mesure une telle conception a-t-elle effectivement orienté l'évolution politique, économique et sociale des démocraties ?» *(1956)*

Il importe de bien réfléchir sur le thème fondamental de l'égalité. Vous pouvez constater qu'il fournit assez fréquemment des sujets de concours, et vous devez savoir qu'il vous permettra d'éclairer bien des problèmes sociaux et politiques. La pensée de Montesquieu a, au premier abord, une allure «réactionnaire». Il semble cependant qu'elle doive faire l'objet d'une approbation nuancée.

13 «Les élites locales en France.» *(1957)*

Le thème de l'élite peut constituer un sujet de morale au niveau du baccalauréat. Dans les concours de Catégorie A, il peut fournir divers sujets de science politique.

Le phénomène traditionnel - et mondain - des «élites parisiennes» peut être analysé. Beaucoup plus intéressant est le thème des élites locales, qu'il s'agisse des élites traditionnelles ou bien des élites nouvelles, et notamment des forces vives de la région.

14 « L'État et le savant dans le monde moderne. » *(1958)*

Une réflexion sur la science et son rôle dans le monde moderne s'impose évidemment pour tous les concours.

15 « Le XXe siècle confirme-t-il ou infirme-t-il la primauté du politique ? » *(1959)*

Sujet de catégorie A de niveau élevé, qui peut vous donner une idée de conclusion pour beaucoup de sujets économiques, sociaux et culturels : l'examen de la dimension politique du problème.

16 « L'influence de la guerre sur les idées et sur les institutions depuis le début du XXe siècle. » *(1960)*

Ce sujet reste malheureusement d'actualité. Il vous faudra présenter successivement :
- Une analyse doctrinale,
- Une analyse institutionnelle,
- Des propositions constructives (détente, désarmement et développement de la coopération internationale).

17 « Les conflits de générations dans la France contemporaine. » *(1961)*

Thème de réflexion intéressant, qui se retrouve fréquemment à la pointe de l'actualité. Beaucoup de problèmes sociaux et culturels ou même politiques peuvent être éclairés utilement par une analyse de l'attitude des diverses générations concernées.

18 « La décolonisation. » *(1962)*

Sujet de Catégorie A de haut niveau, qui conserve une certaine actualité sous des formes nouvelles : problèmes du néo-colonialisme et de l'aide aux pays en voie de développement.

19 « L'idée de patrie depuis le milieu du XVIIIe siècle. » *(1963)*

Il importe d'analyser aussi bien l'évolution de l'idée de patrie, que son rôle actuel et son avenir. C'est un thème de réflexion intéressant dans le domaine des relations internationales. Il permet aussi d'éclairer beaucoup de sujets politiques, sociaux et culturels.

20 « La concentration urbaine dans l'Europe occidentale contemporaine. » *(1964)*

Le phénomène urbain constitue une mine de sujets fréquemment exploitée, et se retrouve périodiquement, sous des formes diverses, dans la plupart des concours administratifs.

21 « La liberté et l'égalité vous paraissent-elles compatibles dans le monde actuel ? » *(1965)*

Les concepts de liberté et d'égalité méritent une réflexion approfondie. Reportez-vous notamment aux textes essentiels : Déclaration des Droits de l'Homme et du Citoyen du 26 août 1789, préambule de la Constitution du 27 octobre 1946 et Déclaration Universelle des Droits de l'Homme du 10 décembre 1948.

Le problème de leur compatibilité est manifestement l'un des grands problèmes du monde moderne. Il revêt une acuité particulière en France, car nos concitoyens sont passionnément attachés à chacun de ces deux principes.

22 « Le libéralisme vous paraît-il en progrès ou en recul dans le monde ? » *(1966)*

Vous pourrez vous poser la même question à propos des autres grandes doctrines politiques, économiques et sociales. Le jury vous invite à une réflexion de synthèse sur le libéralisme d'une part, le dirigisme et le socialisme de l'autre. Quand vous aurez à traiter ultérieurement un grand problème économique, social ou politique, il vous faudra consacrer une réflexion approfondie aux voies et moyens de le résoudre, et donc aux divers types de solutions, libérales ou dirigistes.

23 « Le juriste dans la société moderne ». *(1967)*

Ce sujet implique une réflexion approfondie sur le rôle du Droit dans notre société et sur la formation des « juristes » (au sens le plus large du terme, comme au sens strict). A titre d'exercice personnel, vous pouvez réfléchir également à la place et au rôle de diverses autres catégories socio-professionnelles : le savant, le soldat, le médecin, l'enseignant, le fonctionnaire...

24 « Révolutions politiques et mutations de la société en France depuis le milieu du XVIIIe siècle. » *(1968)*

Formulé ainsi, c'est un sujet qui nécessite de bonnes connaissances historiques. Mais le thème des mutations de la société est évidemment aussi un grand thème d'actualité.

25 « L'héritage napoléonien dans la France contemporaine ». *(1969)*

A rapprocher du sujet suivant du concours de commissaire de Police :
« Devant le Conseil d'État, Bonaparte affirma un jour sa volonté de « jeter sur le sol de la France quelques masses de granit ». Quelles ont été ces « masses de granit » ? Quel rôle ont-elles joué dans l'histoire politique, économique et sociale de la France ? Qu'en reste-t-il ?.

26 « Le Français vous paraît-il plus libre aujourd'hui qu'au début du siècle ? » *(1970)*

27 « Comment expliquez-vous la recrudescence des particularismes régionaux à une époque où les États ont tendance à se regrouper en grandes unités ? » *(1971)*

Concours d'entrée à l'É.N.A.
***Sujets proposés depuis la réforme** (1971-1972)*

Troisième épreuve d'admissibilité
commune aux quatre Concours : Concours juridique et Concours économique (interne et externe)

« Une composition, rédigée en cinq heures, portant sur les problèmes politiques internationaux, économiques et sociaux du monde actuel. »

---

1 « Performances et défaillances de la société industrielle. » *(1972)*

Vaste sujet de synthèse sur la société moderne. Nous vous invitons à en dresser un tableau synoptique.

---

2 « Le grand avantage des représentants, c'est qu'ils sont capables de discuter les affaires. Le peuple n'y est point du tout propre, ce qui forme un des grands inconvénients de la démocratie » *(Montesquieu).*
Dans quelle mesure cette affirmation vous paraît-elle vraie dans la société française contemporaine ? *(1973)*

C'est l'une des questions fondamentales relatives au fonctionnement de la démocratie. Elle appelle, semble-t-il, une approbation nuancée.

Concours juridique *(externe et interne) (1974)*

- « L'avenir de la France il y a trente ans et aujourd'hui ».

L'année 1944 représente une date charnière. Le jury aurait pu choisir également l'année 1945 ou l'année 1946.

Vous pouvez effectuer le même exercice dans les principaux domaines, par exemple :
- La situation sociale de la France en 1936 et aujourd'hui.
- La situation culturelle de la France il y a cinquante ans et aujourd'hui.
- La vie politique en France en 1900, en 1950 et aujourd'hui.

Concours économique *(1974)*

● « Une politique scientifique vous paraît-elle fondamentale pour l'avenir des sociétés industrialisées de type occidental ? »

Un effort s'impose plus que jamais dans le domaine de la recherche fondamentale comme dans celui de la recherche appliquée :
- Pour faire face à la crise de l'énergie et à la pénurie de matières premières,
- Pour soutenir la concurrence des pays de l'Est ou du Tiers Monde,
- Pour contribuer encore au développement technologique et au progrès de l'humanité.

● « L'aspiration au changement et l'attachement au passé dans l'évolution actuelle des mœurs ».

Le jury vous invite à nouveau à effectuer une réflexion générale sur l'évolution de notre civilisation.

Concours juridique *(interne et externe) (1975)*

● « Peut-on dans le monde actuel réformer une société sans son consentement ? »

Vous retrouverez là encore un grand débat sur le progrès et sur la démocratie.

Concours économique *(1975)*

● « Le passé peut-il encore servir au présent ? ».

Question fondamentale sur le legs de l'Histoire.

Vous pouvez recenser les époques au cours desquelles le présent s'est véritablement nourri du passé, puis celles où il est apparu qu'il fallait rompre avec le passé.

Qu'en est-il de nos jours ? Le passé est-il mort ? Peut-il servir le présent, non seulement par ce qu'il a de négatif, mais encore par des apports positifs ?

Votre réflexion devra se situer essentiellement sur le plan social et politique. Mais, à titre d'exercice personnel, vous pourrez aussi l'appliquer sur le plan individuel :

quelle peut être la valeur de l'expérience (nombreux sujets de « morale » sur ce thème dans les concours de Catégorie B), et la place de l'Histoire dans la culture de l'homme contemporain ?

● « Place et valeur du travail dans la société contemporaine ».

Une réflexion sur le travail se trouve au cœur de l'actualité pour de multiples motifs : crise de l'emploi, problèmes d'adaptation au travail, désaffection à l'égard du travail manuel... C'est aussi une question de morale sociale, fondamentale pour un futur fonctionnaire.

Concours juridique *(interne et externe) (1976)*

● Les âges de la vie dans nos sociétés contemporaines ».

Le jury vous invite à poursuivre vos réflexions sur la société contemporaine, ou, plus exactement, sur les différents types de sociétés, puisque le sujet comporte l'emploi du pluriel. Il ne suffit pas de décrire les problèmes propres à la jeunesse, aux adultes et au troisième âge. Il faut aussi analyser la politique des pouvoirs publics à leur égard, examiner les rapports entre les trois générations, présenter des réflexions et propositions personnelles.

Concours économique *(1976)*

a. *externe*

● « L'opinion publique internationale ».

Sujet très intéressant dans le domaine de la science politique et des relations internationales. Vous avez évidemment une très large liberté d'appréciation sur le rôle de l'opinion publique dans le monde moderne, et sur l'existence même d'une opinion publique internationale.

b. *interne*

● « La ville aujourd'hui et demain ».

Vous pouvez prendre pour base de vos réflexions ce paragraphe extrait du rapport sur les principales options du VIIIe Plan :

« Les grands ensembles collectifs qui ont longtemps constitué la principale forme d'extension périphérique des villes sont aujourd'hui remis en cause, mais les grands lotissements de maisons individuelles qui leur ont succédé ont aussi leurs défauts. L'étalement de ces nébuleuses pavillonnaires rend plus difficile et plus coûteuse la satisfaction des besoins en services collectifs de voisinage, impraticable la priorité aux transports collectifs que suggère la politique d'économie d'énergie.

Il contribue à sacrifier davantage de terres agricoles et peut détériorer le paysage. Il faut se garder de ces deux excès. Il s'agit donc de rechercher les moyens d'une revitalisation des banlieues et d'une urbanisation nouvelle associant de petits immeubles collectifs aux maisons individuelles, comportant des espaces publics ou semi-publics (en particulier jardins familiaux) soignés et se greffant sur les agglomérations existantes.

Ainsi pourrait être reconstitué un milieu urbain continu, vivant, permettant de restaurer le sentiment d'appartenance à une même communauté. »

Concours juridique *(1977)*

a. *externe*

- « Le nationalisme a-t-il, selon vous, un avenir ? »

Nous vous invitons à dresser un tableau des facteurs de déclin et facteurs de résurgence du nationalisme en France et dans les principaux États ou groupes d'États du monde d'aujourd'hui.

b. *interne*

- « Les marginaux dans la société contemporaine ».

Vous effectuerez un recensement des principaux groupes marginaux. Après avoir analysé les problèmes propres à chacun d'eux, vous recenserez les actions entreprises en leur faveur, et vous présenterez des propositions personnelles en vue d'une meilleure insertion sociale.

Concours économique *(1977)*

a. *externe*

● « Le monde contemporain laisse-t-il place à l'aventure individuelle ? »

Il faudra évidemment retenir la conception la plus large du terme « aventure », et recenser les divers domaines : l'exploration ou le sport, l'entreprise, la vie intellectuelle, ou même quelques aspects de la vie sociale et politique.

b. *interne*

● « L'information dans le monde contemporain. »

Vous étudierez les problèmes propres aux divers domaines (administratif, politique, économique, social...).

Nous vous recommandons de préprarer ensuite des plans détaillés sur des thèmes tels que :
- Information et culture - Information et politique - Information et pouvoir

Concours juridique *(1978)*

a. *externe*

● « Le discours politique et la réalité. »

Nous vous suggérons de traiter quelques autres grands sujets de science politique, tels que « la dépolitisation » ou « la personnalisation du pouvoir ».

b. *interne*

● « L'accueil de l'enfant dans la société française d'aujourd'hui. »

Nous vous invitons à préparer trois plans détaillés, sur ce sujet lui-même, puis sur l'adolescent et sur l'insertion des jeunes dans la vie sociale.

Concours économique *(1978)*

a. *externe*

● « Votre génération a-t-elle ses propres mythes ? »

Nous vous suggérons de dresser des grilles de réflexion sur

les mythes de diverses grandes périodes historiques, puis sur ceux des générations récentes (1945, 1968 et la vôtre).

b. *interne*

- « La solitude dans le monde moderne. »

Après avoir préparé un plan sur ce sujet, vous en prendrez le contre-pied, en traitant de « l'ère des groupes » ou « l'ère des masses », puis de la solidarité.

Concours juridique *(1979)*

a. *externe*

- Le temps et la politique.

b. *interne*

- L'argent.

Concours économique *(1979)*

a. externe

- Les sociétés contemporaines sont-elles fragiles ?

b. *interne*

- Cultures et bonheur.

En guise de conclusion...

Voici quelques paragraphes extraits de la préface de la brochure publiée par l'École Nationale d'Administration[1], à la suite des premiers concours organisés dans le cadre de la réforme du décret du 21 septembre 1971.

1. Il peut sembler paradoxal de débuter ces quelques conseils aux candidats par des remarques qui pourraient apparaître à certains tout à fait secondaires. Cependant les jurys ont souligné l'importance de défauts dont d'ailleurs il est facile de se corriger. Il s'agit de l'orthographe et de l'écriture qui sont souvent médiocres. En négligeant ces deux aspects de leurs copies, peut-être superficiels mais

1. E.N.A., Paris, 1973 (Imprimerie Nationale).

peu admissibles de la part de jeunes gens ayant fait des études supérieures, les candidats créent un préjugé défavorable.

2. Du plan, les candidats ont une conception souvent artificielle et formelle.

Ils ont, en général, le souci de présenter un plan. Mais leur effort se borne trop souvent à fixer les deux ou les trois parties qui témoignent de leur orthodoxie. D'une part, l'introduction et la conclusion sont souvent insuffisantes ; il n'y a pas toujours concordance entre le plan annoncé et les développements qui suivent. D'autre part, à l'intérieur de chaque partie, les idées sont, trop souvent, exprimées en désordre, sans grand souci de rigueur logique. Les candidats doivent comprendre que le plan répond simplement à une exigence de progression ordonnée de la réflexion, que la logique de développement à l'intérieur de chaque partie et de chaque sous-partie n'est pas moins importante que le choix des grandes articulations de la composition, que ce choix n'est pas une trouvaille plus ou moins artificielle, mais simplement l'expression des deux ou trois idées qui, selon la conception que chacun a du sujet, définissent les lignes directrices autour desquelles s'ordonnera la réflexion.

L'exigence logique est universelle. La composition en deux ou trois parties n'en est que l'application à un genre particulier, la dissertation. Cette application doit être faite intelligemment et adaptée à chaque sujet en fonction précisément des idées directrices dégagées par la réflexion du candidat. Certains peuvent être traités en deux ou trois parties dans cet esprit et non pas en vertu d'une règle formelle *a priori*.

C'est autour de cela que le plan s'organise, qu'il jaillit presque spontanément dans la pensée de celui qui a fait cet effort de réflexion avant de se hâter d'écrire. Le plan devient alors le moyen de définir les idées et données essentielles du problème, l'ordre intérieur dans lequel on les développe, et cela est infiniment plus important que le choix de deux ou trois parties, division qui dépend de la nature du sujet et de l'ordonnancement intérieur de ses idées principales. Bref, il n'y a aucune règle fixée à cet égard contrairement à ce que l'on conseille parfois aux candidats.

L'exposé doit, en sa conclusion, suivre une logique de réflexion et de démonstration. Il faut convaincre le lecteur de la valeur de son propre jugement (d'abord en avoir un, ensuite le présenter d'une manière suffisamment démonstrative). Ce n'est malheureusement pas le cas chez un très grand nombre de candidats chez lesquels on constate l'absence de toute pensée personnelle, en même temps que de sens du concret. Les candidats ont souvent beaucoup lu, mais ils n'ont pas «perdu assez de temps» à réfléchir sur leurs lectures et souvent ils n'ont pas fait la transposition entre la page lue et la réalité L'important semble, pour eux, à propos d'une question posée, non pas de se demander «de quoi s'agit-il ?», mais immédiatement, de rassembler souvenirs et connaissances pour - et souvent à tout prix - les faire entrer comme éléments de la réponse à la question soumise à leur réflexion. A ce défaut est souvent lié l'abus de la citation et il n'est pas exceptionnel - même dans les copies purement techniques - de relever 20, 30, voire 40 citations. Que ces citations soient rarement adaptées au moment de la pensée qu'elles illustrent, que certaines, par leur éclatante richesse, rompent l'unité de développement, qu'elles détournent d'une réflexion et d'une expression personnelles, les candidats n'en ont guère conscience. [...]

Un trait que tous les jurys ont souligné est l'absence, réelle ou non, de personnalité chez beaucoup de candidats. On hésite à s'engager, à prendre position et peut-être est-ce le résultat d'une mauvaise conception que les candidats se font du jury : le jury est avant tout, pour eux, celui à qui il faut donner le change et non pas celui qu'il faut convaincre. Les candidats oublient, semble-t-il, avec une grande naïveté que les jurys sont composés de personnes d'origine différente et pleines de discernement.

Imprimé en France par l'Imprimerie Hérissey - Évreux
Dépôt légal : 1er trimestre 1980.
N° d'édition : 4305 — N° d'impression : 25405